Le Cahier de Jeux d'esprit et de logique

POUR LES NULS

Nicolas Conti

Pour bronzer intelligent !

FIRST Editions

Pour écrire à l'auteur : nconti@orange.fr
Le Cahier de Jeux d'esprit et de logique pour les Nuls
© Éditions First, 2008. Publié en accord avec Wiley Publishing, Inc.
"Pour les Nuls" est une marque déposée de Wiley Publishing, Inc.
"For Dummies" est une marque déposée de Wiley Publishing, Inc.

ISBN 978-2-7540-0877-8
Dépôt légal : 2ème trimestre 2008

Mise en page et illustrations : Fabrice Del Rio Ruiz (www.fabdelrio.com)
Couverture : KN Conception
M. Nul est habillé par : David Beuque
Production : Emmanuelle Clément

Imprimé en France n° L21550

Nous nous efforçons de publier des ouvrages qui correspondent à vos attentes
et votre satisfaction est pour nous une priorité. Alors, n'hésitez pas à
nous faire part de vos commentaires :

Éditions First
2 ter, rue des Chantiers
75005 Paris - France
Tél. : 01 45 49 60 00
Fax : 01 45 49 60 01
e-mail : firstinfo@efirst.com
Site internet : www.efirst.com

Avant-propos

100 milliards de neurones reliés entre eux par 100 000 milliards de connexions (si vous comptez une connexion par seconde, vous aurez fini de compter dans 32 milliards d'années), notre cerveau est une formidable « machine » à produire de l'intelligence.

L'horreur ! Il devient tout ramollo quand on ne fait rien, surtout à bronzer idiot...

Insidieusement on se transforme jour après jour en légume, en « temps de cerveau disponible », tout creux quoi !

Bonne nouvelle ! Prenez un cerveau tout gringalet à cause du boulot-métro-dodo, faites-lui une petite giclée du bon dopant et, hop, vous avez un gros costaud qui roule des neurones.

Énigmes célèbres, carrés magiques, mots cachés, mots secrets, jeux littéraires, mathématiques, logiques...

Vous avez là tous les ingrédients pour vous (ré)activer en vous amusant et passer de bons moments.

Alors maintenant, c'est comme vous voulez : ou vous allez vous recoucher ou vous tournez la page pour commencer.

...Et bonnes vacances !

GROS PLAN

Victor Hugo

Né à Besançon, le 26 février 1802

Décédé à Paris, le 22 mai 1885

L'homme à qui le jeune Baudelaire écrivait « Je vous aime comme on aime un héros » ou que Gide citait (« Hugo, hélas ! ») a fait couler des flots d'encre. À raison de quatorze heures par jour, il faudrait une vingtaine d'années à un lecteur, pour dévorer les ouvrages qui lui sont consacrés à la Bibliothèque nationale.

Écrivain, poète, dramaturge, artiste, homme politique… le plus grand des romantiques s'amusait aussi à faire tourner les tables ou à créer des charades. En voici une (ci-dessous). De quoi s'agit-il ?

Charade gourmande

« Mon premier est bavard,
Mon deuxième est un oiseau
Mon troisième est au café,
Mon tout est une pâtisserie… »

Que quizez-vous à Victor Hugo ?

❶ Dans la famille de Victor, on ne peut pas trouver :

A Un Chirac de Corrèze, comme cousin germain.

B Un sieur de Lanoë pour grand-oncle.

C Un Fillon pour arrière-grand-père.

❸ Actrices, servantes, prostituées, femmes de lettres,… Victor Hugo a connu (bibliquement) des centaines, sinon des milliers de femmes, certaines très célèbres. Laquelle ne fut pas sa maîtresse ?

A La comédienne Sarah Bernhard.

B La révolutionnaire Louise Michel.

C L'écrivain George Sand.

❺ « À l'insu de son plein gré », Victor Hugo invente les premiers produits dérivés. En 1866, son roman, *Les Travailleurs de la Mer*, connaît un tel succès qu'il donne lieu à une mode : un animal dont on orne les chapeaux des élégantes, que l'on sert dans les restaurants ou que l'on expose vivant dans d'immenses aquariums ; il s'agit :

A de la pieuvre.

B de l'étoile de mer.

C du dauphin.

C de la baleine.

❷ Plusieurs dizaines de millions de spectateurs dans le monde aujourd'hui pour Notre-Dame de Paris. En 1836, l'opéra *La Esmeralda*, dont il écrit pourtant le livret n'est joué que cinq fois, malgré des orchestrations réalisées par :

A Hector Berlioz.

B Frantz Liszt.

❹ Victor Hugo avait à table une manie qui stupéfiait ses invités et faisait beaucoup rire ses petits-enfants. Laquelle ?

A Il mélangeait tous les plats servis en une sorte de bouillie immonde.

B Il mangeait avec ses doigts.

C Il ne pouvait s'empêcher de faire des boulettes de mie de pain et de les lancer sur ses convives.

D Il s'essuyait les mains sur la nappe.

Toujours mathématique, parfois magique !

Pouvez-vous retrouver le chiffre manquant ? Vous avez dix secondes.
Allez, c'est parti !

1	6	5
8		0
3	2	7

Mots croisés, mot secret

Voici une célèbre définition de mots croisés. À vous
de trouver. Un indice : la 3ème lettre est un N.

Était muet de naissance (en six lettres)
Tristan Bernard

		N			

Un couple peu présidentiel

Nicolas et Carla gisent sur le sol, à côté d'eux un
vase cassé, de l'eau répandue… Comment est-ce
possible ?

Intrus, mais pas indésirable

Quel est le mot en trop ?

RADAR — KAYAK — ROTOR — KAPOK — KANAK

Éclipse de lune

Observez cette suite de damiers…

Lequel, parmi les six proposés, vient en suite ?

  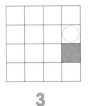 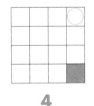

1 **2** **3** **4** **5** **6**

PETITE REMARQUE

Tests d'intelligence

Les problèmes de damiers appartiennent à la catégorie
des tests d'intelligence. Ils sont fréquemment employés
dans le cadre de la sélection professionnelle :
17 % des entreprises les utilisent, notamment
pour le recrutement des personnels scientifiques
(informaticiens, ingénieurs, etc.).

Méli-mélo

Pouvez-vous composer au moins deux mots avec les lettres suivantes ?
Interdit : les adjectifs et les formes conjuguées des verbes !

E — E — E — I — N — R — T — T

Bouge de là !

Déplacez 2 allumettes et formez 3 carrés.

À décoder sans cafouiller

Deux suites : manque un chiffre, manque une lettre. À vous de trouver !

?	IV	VI	II	VII

C	Q	S	D	?

Les derniers seront les premiers !

Au XVIème siècle, l'émir de Boukhara, mourrant, fait venir auprès de lui ses deux fils et leur dit :

« Vous voyez à l'horizon le minaret de Samarkand ? Et bien, celui d'entre vous dont le cheval arrivera en dernier au pied de ce minaret héritera de tous mes biens. »

Les deux fils se précipitent vers l'écurie, sautent sur un cheval et partent au triple galop vers le minaret.

Pourquoi se pressent-ils ainsi ?

Qui se ressemble s'assemble ?

Cette phrase a quelque chose de bizarre (« Vous avez dit bizarre ? Comme c'est bizarre ! »), mais quoi ?

L'exorciste hypocrite peut-il coexister avec le chypriote ?

Toujours mathématique, parfois magique !

Pouvez-vous retrouver le chiffre manquant ? Vous avez dix secondes. Allez, c'est parti !

4	9	
3	5	7
	1	6

LE SAVIEZ-VOUS ?

L'ancêtre du Sudoku a 4 000 ans !

Casse-tête du XXIᵉᵐᵉ siècle, le Sudoku est une variante des carrés magiques apparus en Chine, il y a un peu plus de 4 000 ans. Un carré est dit magique quand la somme des nombres à la verticale, à l'horizontale et en diagonale est toujours la même. Selon une légende chinoise, ce carré dit de Lo Shu, aurait été révélé à l'empereur Yü sur le dos d'une tortue au XXIIIᵉᵐᵉ siècle avant J.C. C'est un des piliers du Feng Shui.

Mots croisés, mot secret

En quatre lettres, de quoi s'agit-il ?

Plus elle est fixe, plus elle trotte.
Anonyme

Méli-mélo

Celui-là a l'air facile, vous devez juste compter le nombre de « F » dans le texte suivant :

**FINISHED FILES ARE THE RE-
SULT OF YEARS OF SCIENTIF-
IC STUDY COMBINED WITH THE
EXPERIENCE OF YEARS**

Intrus, mais pas indésirable

En vrac et en trop, trouvez le mot !

ACIACA — RABLEE — ANDACA — OBABBA

À décoder sans cafouiller

Là, ce n'est pas bien compliqué. À vous de jouer !

D	R	M	F	S	L	?

Petite chinoiserie administrative

En Chine, sous l'empereur Yang Sun (IXème siècle), l'habileté et la rapidité en calculs étaient des critères d'engagement et de promotion des fonctionnaires. Un jour, deux candidats ayant un dossier de même valeur se présentèrent à un poste. Le fonctionnaire responsable, étant incapable de choisir entre eux, en informa l'empereur qui convoqua les deux candidats et leur posa le problème suivant pour les départager :

« Quelqu'un se promenant dans les bois entend des voleurs discuter de la répartition des rouleaux d'étoffe qu'ils ont volés. Ils disent que si chacun a six rouleaux, il en restera cinq, mais si chacun en a sept, il en manquera huit. Combien y a-t-il de voleurs et de rouleaux d'étoffe ? »

Auriez-vous obtenu le poste ?

Intrus, mais pas indésirable

Ici, c'est un chiffre qui n'a rien à faire là. Lequel ?

14 — 22 — 21 — 49 — 42

Facile pour les esprits carrés!

Observez ce groupe de carte…

Et trouvez la valeur et la couleur de la carte retournée.

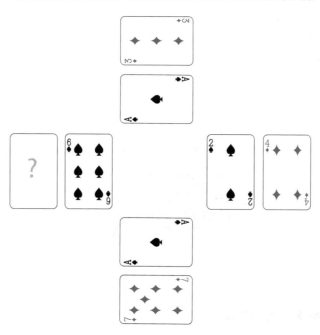

PETITE REMARQUE

Test des cartes

Le test des cartes a été créé en 1957 par G. Pire pour évaluer l'intelligence logique, l'aptitude à structurer des ensembles rationnels indépendamment de leurs contenus. Une carte (parfois deux) est retournée dans chaque figure. Le problème consiste à trouver la couleur (trèfle, cœur, carreau, pique) et la valeur (de un à dix) de cette ou ces cartes.

Méli-mélo

Pouvez-vous trouver les deux anagrammes du mot ?

ROSE

Quand un mot en cache un autre

L'art de l'anagramme (faire un ou plusieurs mots avec les lettres d'un ou plusieurs mots) est un divertissement qui nous vient de l'Antiquité. On pense qu'il a été inventé par le poète grec Lycophron.

Une anagramme bien connue : Ponce Pilate demandant en latin à Jésus : « Quid est veritas ? » (Qu'est-ce que la vérité ?). Jésus répondit : « Est vir qui adest. » (C'est l'homme ici présent.)

Les anagrammes servent aussi à se moquer, par exemple : Pur sot (Proust), Voilà un crétin (Vincent Auriol), Avida dollars (surnom donné par André Breton à Salvador Dali), Joli Pinson (Lionel Jospin), Naturel abusif (Laurent Fabius)…

Sans lever le crayon !

Un cercle pas du tout vicieux.
Pouvez-vous le diviser en 5 parties par
3 segments de droite sans lever votre crayon ?

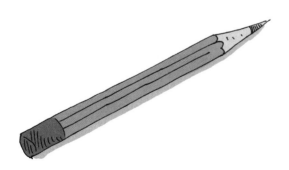

Rimbaldiennes

N'en manque qu'une. Laquelle ?

Un indice : Rimbaud les a mises en couleur.

a — e — i — o — u — ?

À décoder sans cafouiller

Trouvez un mot pour poursuivre la série suivante.

Nacre — crâne — rance — écran — carné — ?

Temps de paroles

Ils ont dit (ou écrit) :

Pour la carotte, le lapin est la parfaite incarnation du Mal.

Les pattes du canard sont courtes, il est vrai ; mais les allonger ne lui apporterait rien.

Qui promène son chien est au bout de la laisse.

Pouvez-vous attribuer chacune de ces trois citations à son auteur ?

Serge Gainsbourg.

Robert Sheckley.

Tchouang-Tseu.

LE SAVIEZ-VOUS ?

Made in China

Tchouang-Tseu, est un penseur chinois du IVème siècle av. J.-C. (décédé en -315). On lui attribue la paternité d'un texte fondateur du Taoïsme (l'ancêtre du Zen), appelé de son nom, le Zhuangzi (Tchouang-Tseu en chinois).

Gagnant sa vie comme fonctionnaire d'une manufacture de laque, Tchouang-Tseu a toujours rejeté toute fonction que lui offraient les princes de son temps (il aurait, par exemple, refusé le poste de Premier ministre que lui offrait le roi Wei). Il a terminé sa vie complètement retiré du monde, menant une existence nomade et simple.

La banquière philosophe

Étant donné l'énoncé suivant :

« Sophie, 31 ans, est célibataire et très brillante. Elle est diplômée de philosophie et lorsqu'elle était étudiante, elle militait contre la discrimination raciale et participait également à des manifestations antinucléaires. »

Laquelle de ces deux affirmations concernant Sophie vous paraît la plus probable :

A C'est une employée de banque.

B C'est une employée de banque qui milite dans le mouvement féministe.

Toujours mathématique, parfois magique !

Pouvez-vous compléter ce carré magique pour que la somme des nombres à la verticale, à l'horizontale et en diagonale soit égale.

26	13	0

Mots croisés, mot secret

Voici une célèbre définition de mots croisés en treize lettres. À vous de trouver. Un indice : la 3ème lettre est un A.

Attire les papillons devant un bateau.
Max Favalelli

		A										

Faces cachées

Devant vous, quatre cartes.

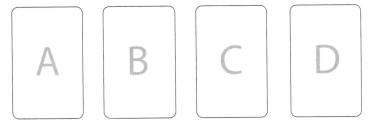

À votre avis, combien faut-il retourner de cartes pour vérifier la proposition : « Derrière tout B se trouve un D » ?

Intrus, mais pas indésirable

Toutes ces figures ont quelque chose de semblable, sauf une. Laquelle ?

Qui peut gagner des millions ?

Dans une pièce, il y a quatre coffres alignés A, B, C et D, dont un seul contient un trésor. Dans chacun des trois autres coffres, il y a une clé qui ouvre un des autres coffres. Mais si on tente d'ouvrir un coffre avec une mauvaise clé, la serrure se bloque et tout espoir d'accéder le trésor est perdu.

Sous chaque coffre, figure une inscription. L'inscription du coffre contenant le trésor est fausse, mais les trois autres sont exactes.

Voici ce qui est inscrit sous chaque coffre :
Coffre A : la clé à l'intérieur ouvre le coffre contenant le trésor.
Coffre B : il faut ouvrir ce coffre avant d'atteindre le trésor.
Coffre C : la clé à l'intérieur ouvre le coffre B.
Coffre D : la clé qui ouvre ce coffre se trouve dans le coffre B.

Vous disposez au départ d'une clé E sur laquelle il est marqué : cette clé ouvre le coffre situé entre celui qui contient le trésor et celui qui contient la clé pour ouvrir le coffre A.

Dans quel ordre devez-vous ouvrir les coffres pour accéder au trésor ?

Pas de quoi avoir le tournis !

Observez cette suite…

Quel cadran parmi les six proposés est le suivant ?

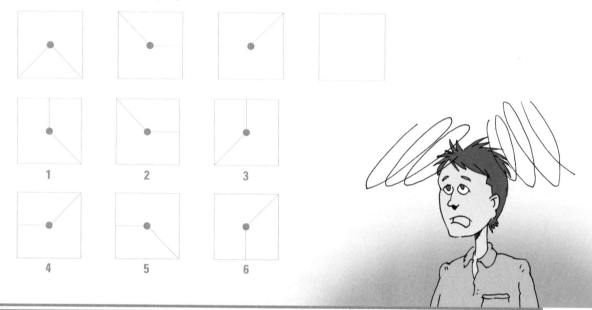

Tests de QI

Comme les damiers, les problèmes de cadrans sont souvent utilisés dans les tests de QI pour évaluer les capacités de logique formelle, mais également d'attention/concentration.

Méli-mélo

Avec les lettres de mon nom, on peut écrire celui de ma maison. Qui suis-je ?
Un indice : on peut aussi composer un pays olympique avec mon nom.

Bouge de là !

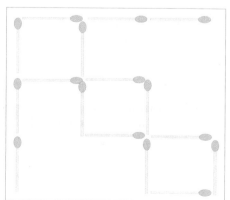

Quatre allumettes à déplacer, quatre carrés à former…

À décoder sans cafouiller

Deux suites : manque un chiffre, manque une lettre. À vous de trouver !

111	1111	1	11

| C | M | U | |

Pas de quoi pinailler !

Voici trois citations, il y manque chaque fois le même mot. Lequel ?

Un homme qui sait se rendre heureux avec une simple illusion est infiniment plus .... que celui qui se désespère avec la réalité.
Alphonse Allais, *Œuvres posthumes*

J'ai rencontré dans la vie plusieurs animaux pas beaucoup plus .... que bien des électeurs.
Alphonse Allais, *À se tordre*

Faut-il que les hommes soient .... de fabriquer des machines pour se tuer... comme si on ne claquait pas assez vite tout seul !
Alphonse Allais, *À se tordre*

GROS PLAN

Alphonse Allais
Écrivain et humoriste français
Né à Honfleur, le 20 octobre 1854
Décédé à Paris, le 28 octobre 1905

Bachelier es sciences à 17 ans, le jeune Alphonse commence sa carrière comme stagiaire dans la pharmacie de son père. Mais ses faux médicaments et ses conseils farfelus ont vite raison des projets paternels. Expédié à Paris, Alphonse Allais fait partie de tous les groupuscules fantaisistes : « Hydropathes » (1878-1880) , « Chat noir » (1881-1897)... Journaliste (il débute comme collaborateur au journal « Le Chat noir » et en devient par la suite rédacteur en chef), il se fait vite un nom grâce à son humour basé sur une logique de l'absurde. On le surnomme « la vache Allais » car c'est sans doute le plus pillé de tous les écrivains.

Larmes de crocodile

Lewis Carroll est l'auteur du paradoxe suivant.

Profitant d'une distraction parentale, un crocodile s'empare d'un bébé. La mère évidemment est affolée, alors le crocodile lui propose un marché : « Si tu devines ce que je vais faire de ton bébé, je te le rends, sinon je le dévore sous tes yeux. »

« Tu vas le dévorer ! », s'écrie-t-elle alors, en larmes.

Pensez-vous qu'elle a raison ? À votre avis, comment tout ça va-t-il finir ?

Toujours mathématique, parfois magique !

Trouvez le chiffre manquant. Un indice : ce n'est pas magique, mais arithmétique !

5	5	5	5
7	5	3	5
5	3	5	

Mots croisés, mot secret

En neuf lettres, une...

Vieille dame qui a toujours ses règles.
Anonyme

			M					

Un indice : la 4ème lettre est un M.

Pair, impair ou... passe

Ce petit problème est dû au mathématicien français, Jacques Ozanam (1640-1717), qui vécut longtemps du jeu, avant de se faire une réputation comme mathématicien.

« Une personne ayant dans une main un nombre pair d'écus ou de jetons, et dans l'autre un nombre impair, devinez en quelle main est le nombre pair. »

Comment est-ce possible ?

Intrus, mais pas indésirable

Quel est le mot en trop ?

ACTION — **MENAGE** — **MANIOC** — **ACONIT** — **MANEGE**

Petite promenade dominicale

Observez cet éventail de dominos.
Quel est le cinquième ?

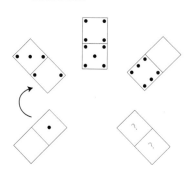

PETITE REMARQUE

Test des dominos

Le test des dominos est un classique des tests de logique. Il a été conçu en 1948 par Anstay, un psychologue anglais. Il est notamment utilisé par l'armée britannique pour le recrutement de ses cadres.

Méli-mélo

S'il y en a bien un qui mérite d'être remis en ordre, c'est celui-là !

A	M	E
A	M	R
A	N	G

Partie carrée

Pouvez-vous diviser ce carré
en huit autres carrés avec seulement
quatre segments de droite.

À décoder sans cafouiller

Deux suites : manque un chiffre, manque une lettre. À vous de trouver !
Un petit code secret tout simple pour apprenti espion.

M2 — **R4** — **O1** — **B3** — **E5** — **OMBRE**

R4 — **M2** — **E5** — **A1** — **B3** — ....

Un casse-tête tiré par les chevaux !

« Un homme vient de mourir en laissant un troupeau de 17 chevaux qui doivent être répartis entre ses trois héritiers dans la proportion 1/2, 1/3, 1/9. Comment peuvent-ils procéder au partage ? »

À votre avis ?

Casse-têtes et autres problèmes

Ce problème épineux a été posé pour la première fois par Niccolo Fontana Tartaglia, surnommé le bègue, un mathématicien et ingénieur – il concevait des fortifications – vénitien (1500-1557). Il fut aussi un temps comptable de la République de Venise.

On lui doit de nombreux problèmes amusants...

Pour neurones biens accrochés

Une entreprise hight tech qui lance un programme extrêmement très « sensible », d'où deux impératifs : le secret et l'efficacité.

Cinq ingénieurs doivent le prendre en charge, mais à deux conditions très strictes : aucun ingénieur, ou groupe de deux ingénieurs, ne doit à lui seul connaître l'intégralité du programme ; et, en aucun cas l'entreprise ne doit souffrir de l'absence éventuelle d'un ou de deux ingénieurs.

La DG (direction générale) a donc prévu de diviser le programme en un certain nombre de sous-programmes, de telle façon que deux ingénieurs ne puissent jamais accéder à l'intégralité des sous-programmes, mais que trois quelconques des ingénieurs le puissent.

Combien de sous-programmes sont nécessaires pour satisfaire aux conditions posées ?

Mélancolique, mais pas triste !

Le carré magique d'Albrecht Dürer (peintre-graveur allemand, né à Nuremberg le 21 mai 1471, mort le 6 avril 1528), est souvent considéré comme le premier du genre en Europe occidentale. Dürer y a également réussi à faire figurer dans les deux cases centrales de la rangée du bas la date (1514) de la création de son œuvre.

Ce carré magique figure sur le tableau « Melancolia » peint par Dürer en 1514. Pouvez-vous retrouver le chiffre manquant ?

16	3	2	13
5	10	11	8
9	6	7	?
4	15	14	1

Méli-mélo

Trois mots, tous les trois composés des mêmes lettres et tous mélangés.

À vous de les retrouver. Un indice : l'un deux est un prénom.

AAAMR — EEEMR — IIIMR

Mots croisés, mot secret

En dix lettres, une très célèbre définition de mots croisés que l'on doit à Michel Laclos. Un indice : la 2ème lettre est un T.
À vous de jouer !

Manuel du crime.

Plantations de tulipes

Pour votre anniversaire, un ami Hollandais vous envoie un gros sac de bulbes de tulipes.

Si vous les plantez par rangées de trois, il vous en restera une ;

par rangées de quatre, il vous en restera deux ;

par rangées de cinq, il vous en restera trois ;

par rangées de sept, il vous en restera deux.

Combien avez-vous reçu de bulbes ?

Intrus, mais pas indésirable

Quel chiffre ici n'a rien à faire avec les autres ?

37 — 28 — 39 — 27 — 38

Petit problème de raisonnement conditionnel

Quelles enveloppes devez-vous retourner pour vérifier la règle :
« Si une enveloppe est collée, alors elle a un timbre de 50 cents d'euro » ?

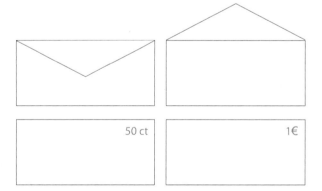

Méli-mélo

Trouvez au moins deux anagrammes à…

CRÉATEUR

Interdit : les adjectifs et les formes conjuguées des verbes !

Bouge de là !

Voici 5 carrés formés par 16 allumettes.

Est-il possible de former 4 carrés en ne déplaçant que 2 allumettes ?

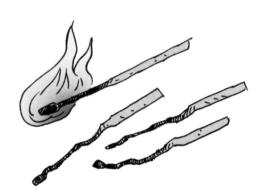

À décoder sans cafouiller

Ici, inutile de remettre au lendemain !

L — M — M — J — V — ? **—** ?

Au menu : civet de lapin !

Comment transformer un lapin en civet ?

La règle : « On propose deux mots de même longueur et le problème consiste à les relier en interposant d'autres mots, dont chacun ne doit différer du suivant que par une lettre. Autrement dit, on peut changer une lettre dans l'un des mots donnés, puis une lettre dans le mot ainsi obtenu, et ainsi de suite, jusqu'à ce qu'on arrive à l'autre mot donné.

L'ordre des lettres ne doit pas être interverti, chacune gardant sa place. » (Lewis Carroll)

À vous jouer !

LAPIN	?	?	?	?	?	?	CIVET

Les œufs d'Euler

Le problème suivant a été posé par Euler (mathématicien suisse, Bâle, 1707- Saint-Pétersbourg, 1783) dans son Introduction à l'algèbre.

Deux paysannes apportent ensemble 100 œufs au marché. Le nombre d'œufs pour chacune est différent, mais toutes les deux reçoivent la même somme d'argent.

La première paysanne dit alors à la seconde : « Si j'avais eu tes œufs, j'aurais reçu 15 kreutzers. » L'autre lui répond : « Et moi, si j'avais eu tes œufs, j'aurais reçu six kreutzers et 2/3 ».

Combien d'œufs chaque paysanne avait-elle ?

Usual suspects

Une villa a été cambriolée. Trois personnes sont suspectes : Léo, Théo et Mario, bien connues des services de police. L'inspecteur en charge de l'enquête sait que Théo ne ment jamais, que Léo ment toujours et que Mario dit parfois la vérité et parfois des mensonges. Voici ce que les trois hommes déclarent :

Léo : « J'avoue, je suis le coupable ! »

Théo : « Mario est innocent. »

Mario : « C'est Léo qui a fait le coup. »

D'après vous, qui est le coupable ?

Toujours mathématique, parfois magique !

Pouvez-vous compléter ce carré magique pour que la somme des nombres à la verticale, à l'horizontale et en diagonale soit égale.

8		15
	10	
5		12

Mots croisés, mot secret

Pour cruciverbistes avertis (et littéraires) cette définition en deux lettres :

Une rouge et une bleue
Georges Perec

LE SAVIEZ-VOUS ?

Case départ

L'une des grilles les plus étonnantes de mots croisés, est due au romancier et verbicruciste Georges Perec.

Elle ne contient qu'une seule case, avec pour définitions :

Horizontalement : Voyelle / **Verticalement** : Consonne. De quelle lettre s'agit-il ?

Quatre-quarts

Soit un cake normal (de forme rectangulaire). Vous devez le découper en huit parts égales (pour ne pas faire de jaloux) en seulement trois coups de couteau. Et cela sans déplacer les parts.

Comment vous y prenez-vous ?

Intrus, mais pas indésirable

À remettre en ordre pour trouver le mot en trop.

T R O U P S	
C A S P O I S	
M O H E R E	
E L I R O M E	

Ici, il ne faut pas se laisser damer le pion !

Observez cette suite…

Quel damier parmi les six proposés est le suivant ?

  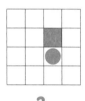 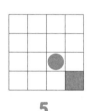 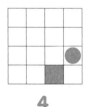 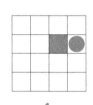

1   **2**   **3**   **4**   **5**   **6**

Méli-mélo

Trois écrivains (célèbres) du XIXème à remettre vite fait (vous avez 30 secondes) dans l'ordre. Un indice : ils sont tous Français.

Z A B A L C	
M E S T U S	
V E R N A L	

Sans lever le crayon

Est-il possible de relier les 9 points ci-dessous par 4 segments de droite sans lever le crayon ?

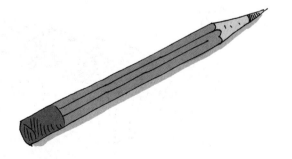

À décoder sans cafouiller

Ca a l'air compliqué comme ça, mais c'est vraiment le b.a. ba de la cryptologie !

B DPOEJUJPO EF TF QOTUFS BVY CPOT FOESPJUT,

MF UPVSJTUF FTU QMVT GBDJMF B FYUFSNJOFS RVF MB WJQFSF

Papous pas papas à poux ou papas pas papous à poux ?

En Papouasie, vivent des « papous » et des « pas-Papous ».

Parmi les « papous », il y a des « papas papous » et des « papous pas papa ».

Mais il y a aussi des « papas pas papous » et des « pas papous pas papas ».

De plus, il y a des « papous pas papas à poux » et des « papas pas papous à poux ».

En revanche, il n'y a pas de « papas papous à poux » et de « pas papous pas papas à poux ».

Sachant qu'il y a 240 000 poux - en moyenne 10 par tête - et qu'il y a 2 fois plus de « pas papous à poux » que de « papous à poux », pouvez-vous déterminer le nombre de « papous pas papas à poux » et en déduire le nombre de « papas pas papous à poux » ?

Intrus, mais pas indésirable

À propos de boule, ce n'est le moment de la perdre, pas plus qu'il ne faut baisser les bras. Quel mot n'a rien à faire ici ?

BRAS — BOULE — DERNIER — HIER — CENTRE

Ici, il y a de quoi s'emmêler les dominos !

Observez cette suite… Et trouvez les valeurs du dernier domino.
Un petit conseil : coupez la poire en deux !

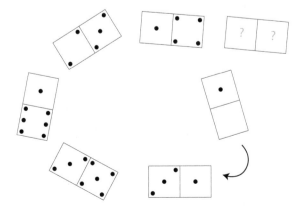

Opération escargot

Un escargot grimpe le long d'un puits de 10 mètres de haut. Il monte de 3 mètres chaque jour, mais glisse et redescend de 2 mètres chaque nuit.

Combien de jours lui faudra-t-il pour sortir du puits ?

Toujours mathématique, parfois magique !

Encore un petit casse-tête arithmétique…

6	3	3	9
8	4	3	12
	1	1	8

Mots croisés, mot secret

En deux lettres, les mêmes que page précédente, mais autrement définie par Michel Laclos :

Un premier cas de vache folle (de rage)

À la bonne heure !

Quatre horloges indiquent respectivement les heures suivantes :

14h30, 15h00, 14h50 et 14h20.

L'une d'elles avance de 20 min, une autre retarde de 10 min, une s'est arrêtée, une seule est à la bonne heure.

Quelle heure est-il ?

Intrus, mais pas indésirable

Futé, mais pas très épineux. Cinq arbres, un intrus, lequel ?

Un deuxième indice (eh oui,, vous en avez déjà eu un) : cela a un rapport avec les saisons.

ACACIA — EUCALYPTUS — ÉPICÉA — ÉRABLE — HÊTRE

Assez astucieux, assurément !

Neuf cartes, une retournée. Laquelle selon vous ?

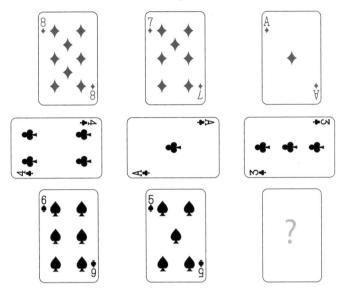

Méli-mélo

Pouvez-vous trouver au moins une anagramme à…

ÉVITER

Permis : les adjectifs et les formes conjuguées des verbes !

Bouge de là !

Voici 3 triangles formés par 9 allumettes.
Pouvez-vous former 5 triangles en ne déplaçant que 4 allumettes ?

À décoder sans cafouiller

Tout simple, même quand on n'a pas la bosse des maths !

V	VII	IX	XIII	XIX

2	4	3	5	?

Ubuesque, forcément !

Pouvez-vous retrouver la citation d'Alfred Jarry composée par les lettres de ce rectangle. Elle se lit à partir d'un certain côté du rectangle, en suivant les lettres voisines, horizontalement ou verticalement, chaque lettre n'étant employée qu'une seule fois.

A C S A Q U L E E F

N T E N S O T F D I

U T S S I N U A N N

U R E I U P E I I I

O M P M P E C R E M

L A O R T A N T N E

Alfred Jarry

Poète, dramaturge et romancier français

Né à Laval, le 08 septembre 1873

Décédé à Paris, le 01 novembre 1907

Alfred Jarry était réputé pour son humour mordant. Un jour qu'il s'amusait à tirer au pistolet dans son jardin, sa voisine poussa de hauts cris : « Monsieur Jarry, Monsieur Jarry, c'est de la folie, vous pourriez me tuer un enfant ! » « Ne vous inquiétez pas, Madame, lui répondit le Maître, nous vous en ferons d'autres ! »

Bling-bling

Un joaillier de la place Vendôme (Paris, France) présente à Carla neuf pierres précieuses dont l'une est fausse. Toutes les pierres ont le même poids, exceptée la fausse, un peu plus lourde. Mais Carla, qui est une petite futée, élimine la pierre fausse en effectuant seulement deux pesées.

Comment s'y prend-elle ?

Toujours mathématique, parfois magique !

Élémentaire, vraiment. Si vous séchez, demandez à votre gamin, vous verrez.

1	9	2
3	8	34
5		6

Mots croisés, mot secret

En huit lettres, une…

Enveloppe timbrée.
Anonyme

	A						

Un indice : la deuxième lettre est un A.

À bicyclette...

Dans une petite ville de Hollande, au bord du Rhin, vivent 1280 familles qui ont chacune au moins une bicyclette. Aucune famille ne possède plus de trois bicyclettes et il y a autant de familles propriétaires de trois bicyclettes que de familles qui n'en ont qu'une.

Combien y a t-il de bicyclettes dans cette ville ?

Intrus, mais pas indésirable

Trois morceaux de vers, deux ont quelque chose d'assez remarquable, pas le troisième. Lequel est à écarter ?

Je suis un vieux boudoir plein de roses fanées,
Où gît tout un fouillis de modes surannées,
Baudelaire, Les Fleurs du mal

Étonnamment monotone et lasse
Est ton âme en mon automne, hélas !
Louise de Vilmorin, L'Alphabet des aveux.

Dans ces meubles laqués, rideaux et dais moroses,
Danse, aime, bleu laquais, ris d'oser des mots roses.
Charles Cros, Coffret de santal

Tournicotis, tournicotons !

Observez cette suite…
Quel cadran est le suivant ?

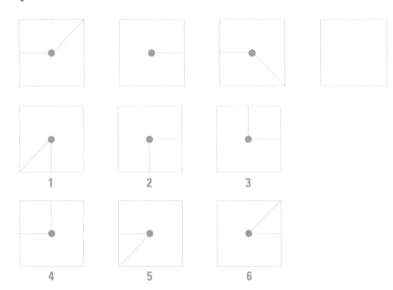

Méli-mélo

Pouvez-vous composer deux mots avec les lettres suivantes ?

A E M P S U

Interdit : les adjectifs et les formes conjuguées des verbes !

Division hexagonale

Pouvez-vous diviser cet hexagone en six
triangles égaux de même forme et de
même grandeur avec seulement trois
segments de droite ?

À décoder sans cafouiller

Élémentaire, si vous vous souvenez bien de vos leçons (de grammaire) !

Très Œdipe, peu complexe !

L'une des plus anciennes énigmes connues est celle du Sphinx, un grand classique de la mythologie grecque.

Œdipe est le premier à l'avoir résolu ; êtes-vous capable d'en faire autant ?

« Je marche à quatre pattes le matin, deux le midi et trois le soir. Qui suis-je ? »

Dessine-moi un Sphinx !

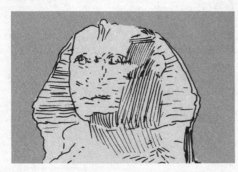

Visage et buste de femme, corps de lion, grandes ailes d'oiseau, le Sphinx est une créature monstrueuse de la mythologie grecque. Il proposait une énigme aux voyageurs et dévorait ceux qui ne savaient y répondre (en fait tout le monde, un vrai carnage). Œdipe fut le seul à donner la bonne réponse (le Sphinx s'en tua de dépit). Ce qui ne lui pas d'ailleurs franchement réussi : quelques années plus tard, réalisant qu'il avait sans le savoir tué son père (Laïos) et épousé sa mère (Jocaste), Œdipe se creva les yeux, abandonna le trône de Thèbes et finit SDF.

Un petit problème de gestion de risque

Le bon, la brute et le truand se battent en un duel.

Ils sont convenus de respecter la règle suivante : le bon tirera en premier une balle, puis le truand, puis la brute, et ainsi de suite, dans le même ordre, jusqu'à ce qu'il n'y ait plus qu'un seul survivant. Le bon ne tire pas très bien : il ne touche sa cible qu'une fois sur trois. Il sait que le truand tire mieux que lui : il fait mouche une fois sur deux, et que la brute ne manque jamais sa cible.

Sur qui le bon doit-il tirer en premier pour avoir le plus de chance de rester en vie ?

Toujours mathématique, parfois magique !

Pouvez-vous retrouver le chiffre manquant ? Vous avez 20 secondes. Allez, c'est parti !

21	26	19
20		24
25	18	23

Le carré d'Allah

Ce carré est souvent appelé « carré d'Allah ». Les Arabes ont été les premiers à considérer les carrés magiques comme des entités mathématiques et non plus comme des porte-bonheur ou des talismans.

Mots croisés, mot secret

Voici une célèbre définition de mots croisés. À vous de trouver.
Un indice : la 3ème lettre est un T.

Arrive souvent au dernier acte (en sept lettres)
Tristan Bernard

		T				

Enfer ou Paradis ? Simple question de bon sens

Vous avez fait de nombreuses bêtises dans votre vie, mais bon, on vous donne une deuxième chance. Vous passez par le purgatoire et vous arrivez devant deux portes, l'une ouvre sur l'Enfer, l'autre sur le Paradis.

Devant chaque porte, il y a un gardien : l'un ne dit jamais la vérité, l'autre ne ment jamais.

Vous ne pouvez poser qu'une question et à un seul des gardiens pour faire le bon choix.

Que demandez-vous ?

Intrus, mais pas indésirable

Casse-tête peut-être, mais il n'y a vraiment pas de risque ici de se faire scalper.
Alors, n'hésitez pas à chasser à l'intrus !

APACHES

IROQUOIS

JIVAROS

INUITS

MOHICANS

Saute-mouton, mais en un peu plus compliqué !

Observez cette suite…

Et trouvez la valeur du dernier domino.

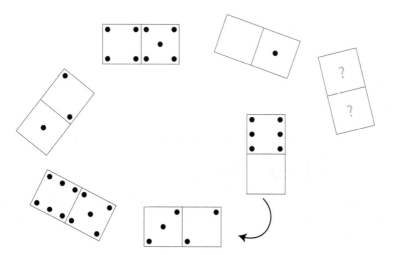

Méli-mélo

Trouvez au moins deux anagrammes au mot suivant :

AMER

Interdit : les adjectifs et les formes conjuguées des verbes !

Bouge de là !

Déplacez 4 allumettes pour former 2 carrés

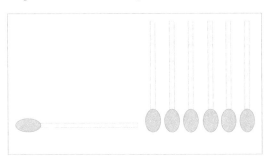
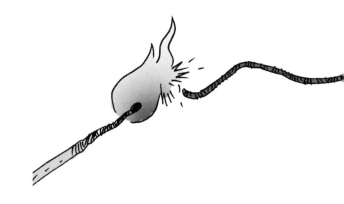

À décoder sans cafouiller

Des chiffres qui cachent des lettres, un code élémentaire…

À l'arrivée, un proverbe à trouver.

1	2 - 15 - 14	3 - 8 - 1 - 20	2 - 15 - 14	18 - 1 - 20

Méli-mélo

Combien de mots pouvez-vous former avec les lettres suivantes ?
Interdit : les adjectifs et les formes conjuguées des verbes !

E   E   I   N   T   T

Faut-il y voir un signe ?

Il est parfois amusant de rapprocher les sens des mots à travers leurs anagrammes. Par exemple, Monde et Démon, Vote et Véto, Digue et Guide, Tentation et Attention, ou Ministre et… Intérims.

Une énigme de Voltaire

L'auteur de Candide s'amusait aussi dans les salons mondains à proposer des petites énigmes amusantes. Celle-là par exemple :

« Cinq voyelles, une consonne,

En français, compose mon nom.

Et je porte sur ma personne,

De quoi l'écrire sans crayon. »

Voltaire, Écrivain et philosophe français
Né à Paris, le 21 novembre 1694
Décédé à Paris, le 30 mai 1778

Après des études de rhétorique et de philosophie chez les jésuites, ainsi que des études de droit, François Marie Arouet, dit Voltaire, se lance dans le monde et la littérature. Souvent considéré (avec Rousseau) comme un des penseurs précurseurs de la Révolution française, il fréquenta les Grands et courtisa les monarques (ce qui ne l'empêchera pas de faire des séjours à la Bastille) tout en luttant avec une ironie ravageuse contre l'intolérance et le fanatisme religieux. Les écrits de Voltaire, comme le fameux « Candide », ont influencé les Lumières et restent encore aujourd'hui un modèle d'humanisme. En 1746, il entre à l'Académie française ; en 1791, ses cendres sont transférées en grandes pompe au Panthéon.

Silence, les agneaux !

La légende raconte qu'Hannibal le Cannibale laisse parfois une chance à ses victimes. Il met deux petits papiers dans une coupe et leur demande de tirer au sort, en leur disant que l'un des papiers est marqué « Liberté », l'autre, « Dîner ».

Mais comme Hannibal ne se voit pas renoncer à un excellent repas, il triche : les papiers sont identiques, tous les deux marqués « Dîner », et tout le monde passe à la casserole.

Un jour, vous tombez sur lui : comment pouvez-vous lui échapper ?

Toujours mathématique, parfois magique !

Pouvez-vous compléter ce carré magique pour que la somme des nombres à la verticale, à l'horizontale et en diagonale soit la même.

16	?	?
?	11	?
?	?	6

Mots croisés, mot secret

En six lettres, une…

Réunion de quartier.
Anonyme

Lost

Vous êtes un naufragé sur une île au milieu de l'océan.

Vous savez que toutes les nuits un paquebot passe très au large (vous ne pouvez pas le voir) 45 minutes après le coucher du soleil.

Vous devez envoyer une fusée éclairante au bon moment, mais vous n'avez pas de montre, juste deux mèches, qui se consument en 1 heure chacune et un briquet.

Comment vous débrouillez-vous ?

Intrus, mais pas indésirable

Quel est le mot en trop ?

Un indice : ce n'est pas Dimanche parce qu'il est le seul à ne pas se terminer par un i.

LUNDI — MARDI — MERCREDI — VENDREDI — SAMEDI — DIMANCHE

Pas de quoi griller ses neurones !

Une seule allumette à bouger pour rétablir l'égalité.

Laquelle ?

Méli-mélo

Pas bête, quand il est remis dans l'ordre !

Séparation de corps

Neufs prisonniers sont dans une cellule. Comme ils sont extrêmement dangeureux, il faut que chacun soit séparé des autres.

Pouvez-vous avec deux autres carrés (peu importe la taille) isoler chaque X ?

X	X	X
X	X	X
X	X	X

À décoder sans cafouiller

Une série à compléter, un peu fort de café !

CURE	CRUE	TRUC	?

Du rififi chez les bavards !

Protagoras était convenu avec Euathlus, un de ses élèves que celui-ci le rémunérerait pour son enseignement au premier procès qu'il gagnerait. Le jeune homme suivit les leçons du maître, accrocha les panonceaux traditionnels et attendit en vain les clients. Protagoras s'impatienta et décida alors de réclamer à son ancien élève la somme qu'il lui devait, devant les tribunaux.

« En effet, lui dit-il, ou je gagne le procès, ou tu le gagnes. Si je gagne, tu me paies en exécution du jugement du tribunal. Si tu gagnes, tu me paies d'après notre convention. Dans les deux cas, je serai payé. »

« Pas du tout, répliqua le jeune homme, si je gagne, je n'ai pas à te payer, d'après le jugement du tribunal. Si tu gagnes, je n'ai pas à te payer d'après notre convention. Dans les deux cas, je n'ai pas à te payer. »

Lequel des deux raisonne juste selon vous ?

GROS PLAN

Protagoras
Sophiste grec
Né à Abdère (colonie grecque en Thrace) en – 485 av. J.C.
Décédé en – 410.

Il fut un philosophe présocratique et l'un des enseignants professionnels grecs appelés sophistes par Socrate. Dans Protagoras, Platon lui consacre un dialogue qui décrit une discussion imaginaire entre lui et Socrate où ils débattent sur l'origine de la vertu. Pour lui, c'est par l'homme et du point de vue de l'homme que le bien et le mal, le vrai et le faux prennent leur définition (« Ce que l'homme appelle vérité, c'est toujours sa vérité, c'est-à-dire l'aspect sous lequel les choses lui apparaissent. »). Chassé de Rome pour impiété sous le règne des Quatre Cents, il meurt lors d'un naufrage en tentant de rejoindre la Sicile.

Bling-bling !

Le problème suivant est dû à Nicolas Chuquet, médecin et mathématicien français (1445-1500), à qui l'on doit l'un des plus importants ouvrages d'algèbre de son époque.

Trois personnes, A, B et C, choisissent à l'insu d'une quatrième personne, D, un des trois bijoux suivants : un anneau, une épingle et une montre. D prend 24 jetons et en distribue six : un à A, deux à B et trois à C. Il dépose sur une table les 18 jetons restants. Puis, il passe dans une pièce voisine, d'où il demande à la personne qui a l'anneau de prendre sur la table autant de jetons qu'elle a déjà ; à celle qui a l'épingle, le double de ses jetons ; et à celle qui a la montre, le quadruple de ses jetons.

Comment deviner d'après le nombre de jetons restants le bijou choisi par chaque personne ?

Toujours mathématique, parfois magique !

Là, ça devient un poil plus compliqué…

5	5	3	1
3	7	1	9
4	6	2	

Mots croisés, mot secret

Voici une célèbre définition de mots croisés, due à Robert Scipion.

Un indice : la 2ème lettre est un I et suit une apostrophe.

Tube rouge en 14 lettres

	'I												

Famille nombreuse

Cléobule de Lindos (né v. 630 av. J.-C., mort v. 560 av. J.-C.), l'un des Sept sages de la Grèce antique, dont la liste la plus ancienne fut donnée par Platon, a proposé l'énigme suivante :

« Il est un père qui a douze enfants ; chacun d'eux a soixante filles d'aspect très différent, les unes blanches, les autres noires. Toutes sont immortelles et meurent. »

Qui sont-ils ?

Intrus, mais pas indésirable

Trouvez le chiffre qui n'a rien à faire ici.

36 — 64 — 16 — 49 — 63

Pas vu, pas pris !

Observez cette suite…

Quel damier parmi les six proposés est le suivant ?

  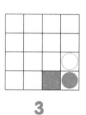 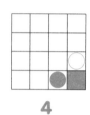 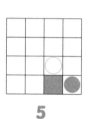 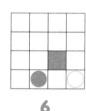

1   **2**   **3**   **4**   **5**   **6**

Méli-mélo

Combien de mots peut-on former avec les lettres suivantes ?

Interdit : les adjectifs et les formes conjuguées des verbes !

A	I	G	N	T	R

Bouge de là !

Pouvez-vous former 4 carrés en ne déplaçant que 2 allumettes ?

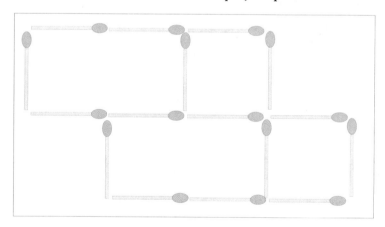

À décoder sans cafouiller

Facile, si vous n'allez pas chercher midi à quatorze heures.

J	F	M	A	M	J	?

Ici, la raison doit l'emporter !

Voici trois citations, il y manque chaque fois le même mot. Lequel ?

La .... peut se comparer à la loterie :
duperie certaine et bonheur cherché par les fous !
Stendhal, Le rouge et le noir

Ainsi, ce sont bien nos ancêtres qui sont à l'origine de nos mauvaises .... ! Le diable,
sous l'apparence du babouin, est notre grand-père.
Charles Darwin, Carnet de notes

La seule différence qui existe entre un caprice et une .... éternelle, c'est que le caprice
dure un peu plus longtemps.
Oscar Wilde, Entretiens

Oscar Wilde
Écrivain irlandais
Né à Dublin, le 16 octobre 1854
Décédé à Paris, le 30 novembre 1900

Fils d'un chirurgien réputé et d'une femme de lettres engagée dans la lutte irlandaise, Oscar Wilde fait de brillantes études à l'Université d'Oxford où il se distingue déjà par ses longs cheveux, ses tenues de dandy, et sa boutonnière ornée d'un chrysanthème. Rédacteur en chef du magazine « The Woman's World », il est des tout premier à prendre fait et cause pour le féminisme. Auteur de nombreuses pièces de théâtre (souvent interdites de représentation), c'est son roman, « Le Portrait de Dorian Gray », qui lui assure le succès. Homo, il est condamné à deux années de travaux forcés à cause de sa relation avec Lord Alfred Douglas. À sa sortie, c'est un homme brisé… Vous pouvez voir sa tombe au Père-Lachaise.

Un petit casse-tête chinois (un vrai supplice !)

Le Chiu-Chang-Suan-Shu (ou « arithmétique en neuf chapitres ») est le plus ancien traité d'arithmétique chinois (environ 1er siècle). On y trouve le problème suivant :

« 9 pièces d'or pèsent la même masse que 11 pièces d'argent. Si on échange une pièce de chaque tas, le tas d'or pèse 13 liangs (unité de masse de l'époque) de moins que le tas de pièces d'argent. Quelles sont les masses respectives d'une pièce d'or et d'une pièce d'argent ? »

À vous de jouer !

Toujours mathématique, parfois magique !

Plus facile qu'il n'en a l'air…

	7	17	29
3	11	19	31
5	13	23	

Mots croisés, mot secret

En neuf lettres…

On y voit le jour la nuit.

M								

Un indice : la première lettre est un M.

Un problème en or

« Ne parle pas, et tu exprimeras mon nom ; mais si tu me nommes, en disant mon nom, ô prodige ! tu ne m'exprimeras pas. »

De quoi s'agit-il ?

Intrus, mais pas indésirable

Ce n'est pas parce qu'il est dans le désordre qu'il a quelque chose à faire là !

SAPIR — **BULDIN** — **NUITS** — **BRINEL**

À vous la donne !

Huit cartes, une seule possibilité… Trouvez la face cachée.

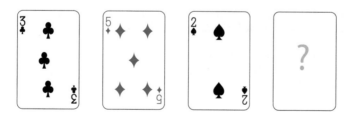

Méli-mélo

Trouvez quatre anagrammes à…

ÉDITEUR

Mystère et boule de gomme

Pouvez-vous disposer ces sept boules de façon à obtenir quatre rangées de trois boules chacune ?

À décoder sans cafouiller

Qu'est-ce qui se cache là ? Une citation ? Peut-être oui, mais laquelle ?

EDNOM EL TOUT CEVA SAP SIAM TOUT ED ERIR TEUP NO

Une devinette pas piquée des vers !

Sur une étagère de bibliothèque sont rangés dans l'ordre (de gauche à droite) cinq volumes des œuvres de Montaigne, chaque volume contenant 500 pages. Un petit ver passant par là, entreprend d'en faire son repas. Il traverse les livres de la première page du premier volume à la dernière page du dernier volume.

Combien de pages a-t-il mangé ?

Montaigne
Philosophe français
Né à Château de Montaigne, le 28 février 1533
Décédé à Bordeaux, le 13 septembre 1592

Michel Eyquem de Montaigne est issu d'une famille de négociants bordelais, anoblie deux générations auparavant. À six ans, il entre au très réputé (pour son enseignement) collège de Guyenne à Bordeaux où il apprend le français, le grec, la rhétorique et le théâtre. À treize, il fait son droit à Toulouse ; à 21, il devient conseiller à la Cour des aides de Périgueux ; à 47, il publie « Les Essais » (un monument qui traversera les siècles) ; à 50, il est maire de Bordeaux.

Philosophe sceptique (« Le monde n'est qu'une branloire pérenne »), humaniste (« Qui se connaît, connaît aussi les autres, car chaque homme porte la forme entière de l'humaine condition »), c'est « l'honnête homme » au sens fort du terme : instruit, avisé, modéré et tolérant en matière de morale, de politique ou de religion.

Quelle galère !

29 mai 1453, les armées du sultan Mehmet II s'emparent de Constantinople (Byzance), la vieille capitale de l'empire chrétien d'Orient. Niccolo Fontana, dit Tartaglia le Bègue, mathématicien italien (voir page…), posa le problème suivant :

« Un vaisseau sur lequel se trouvent 15 turcs et 15 chrétiens est pris dans une tempête. Le pilote ordonne de jeter par-dessus bord la moitié des passagers. Pour choisir lesquels, on procédera comme suit : tous les passagers sont disposés en rond. En commençant à compter à partir d'un endroit déterminé, chaque neuvième passager sera jeté à la mer.

De quelle façon doit-on placer les passagers pour que les turcs soient les seuls désignés par le sort et jetés à la mer ? »

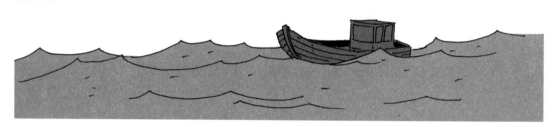

Toujours mathématique, parfois magique !

Complétez ce carré magique. Un indice : il est prisé par les adeptes de Satan !

212	121	333
343	222	?
111	323	232

Mots croisés, mot secret

Voici une autre célèbre définition de Tristan Bernard. Un indice : la 4ème lettre est un N.

Moins cher quand il est droit (en cinq lettres)

			N	

Un être très discret

« Quand on trouve le passage, alors il apparaît. On peut le garder ou bien le partager. Mais quand on le partage, alors il disparaît. »

De quoi s'agit-il ?

Intrus, mais pas indésirable

Trouvez le mort à écarter ?

CRUEL — ORGUE — RECUL — MAIRE — ROUGE

Ca ne tourne pas rond ?

Observez cette suite…

Quel cadran est le suivant ?

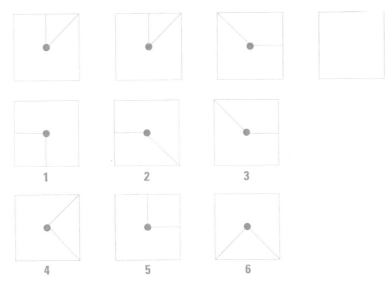

Méli-mélo

Trois pays dont un qui ne fait pas partie du monde de l'ovalie, à remettre dans le bon ordre.

GRENATINE	
AAEEGLLMN	
SALUTAIRE	

Bouge de là !

Pouvez-vous former 3 carrés en déplaçant 3 allumettes ?

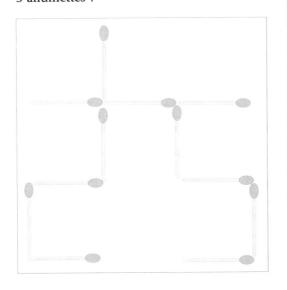

À décoder sans cafouiller

Quatre lettres, un mot à trouver…
Un indice : c'est une affaire de permutations.

| CRIC | CIEL | AILE |
| IMAM | ? | FIEL |

Intrus, mais pas indésirable

Dans le désordre, mais en trop tout de même. Lequel ?

NICHE — OCREE — LAITIE — PONJA

À décoder sans cafouiller

Cette énigme de Bernard Werber (dans « *Le jour des fourmis* ») est un classique.
Voici une suite de lignes de chiffres. Quel est le suivant ?

1	11	21	1211	111221	312211	

Élémentaire, mon cher Watson !

L'énigme suivante (tirée du film « *Le secret de la pyramide* ») est proposée par Sherlock Holmes…

Un homme est dans une chambre ne donnant qu'au sud. Il voit passer un ours par la fenêtre.

De quelle couleur est l'ours ?

GROS PLAN

Sir Arthur Ignatius Conan Doyle, écrivain écossais (22 mai 1859 – 7 juillet 1930).

Né d'un père écossais (et alcoolique) et d'une mère irlandaise, Conan Doyle étudie la médecine à l'Université d'Édimbourg puis exerce quelque temps la profession de médecin. En 1887, il crée le personnage de Sherlock Holmes qui lui vaut une célébrité mondiale. Aujourd'hui encore, 57% de nos voisins d'Outre Manche sont persuadés que Sherlock Holmes a réellement existé (sondage UKTV Gold, 2008) alors que 23% pensent, au contraire, que Winston Churchill, lui, est un personnage de pure fiction.

Une journée en enfer

Vous n'avez peut-être pas vu le film mais, à un moment donné, Bruce Willis doit neutraliser une bombe commandée par un mécanisme astucieux. Pour cela, il doit remplir un bidon de 4 litres à une fontaine, mais il ne dispose que de deux bidons, un de trois litres et un de cinq litres.

Comment vous y prendriez-vous à sa place pour obtenir 4 litres ?

Toujours mathématique, parfois magique !

Pouvez-vous compléter ce carré magique pour que la somme des nombres à la verticale, à l'horizontale et en diagonale soit la même avec les chiffres suivants : 5, 7, 10, 15, 16, 17.

6	?	?
?	11	?
12	?	?

Mots croisés, mot secret

En huit lettres, celui-là....

Vide les baignoires ou remplit les lavabos.
Renée Clément

De quoi s'agit-il ?

Parlez-vous SMS ?

Vous recevez le texto suivant :

Ciciciciciciprècicencicicicicenciciprè

À votre avis, ça dit quoi ?.

Intrus, mais pas indésirable.

Un petit problème où vous ne risquez pas non plus de laisser des plumes. Écartez le bon volatile.

PÉLICAN — FLAMANT — CIGOGNE — IBIS — HÉRON

Moins compliqué qu'il n'y paraît !

Observez cette suite…

Et trouvez le domino manquant.

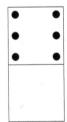 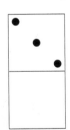 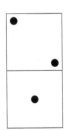 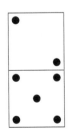

A ?

B ?

Méli-mélo

Une anagramme à trouver qui va de soi.

SOIGNEUR

Sans lever le crayon

De plus en plus dur ! Pouvez-vous relier ces seize points au moyen de 6 lignes droites tracées sans lever votre crayon du papier ?

À décoder sans cafouiller

Ici, personne ne vous jettera la première pierre si vous ne trouvez pas.

A	C	E	G	L	O	?

Une devinette aux petits oignons !

Jonathan Swift est l'auteur de cette…

« Modeste proposition pour empêcher les enfants des pauvres d'être à la charge de leurs parents ou de leur pays et pour les rendre utiles au public. »

(extrait)

Un américain très avisé que j'ai connu à Londres m'a assuré qu'un jeune enfant en bonne santé et bien nourri constitue à l'âge d'un an un met délicieux, nutritif et sain, qu'il soit …. en daube, au pot, rôti à la broche ou au …., et j'ai tout lieu de croire qu'il s'accommode aussi bien en fricassée ou en ragoût.

Je reconnais que ce comestible se révélera quelque peu onéreux, en quoi il conviendra parfaitement aux propriétaires terriens qui, ayant déjà …. la moelle des pères, semblent les mieux qualifiés pour manger la chair des enfants. »

Pouvez-vous trouvez les mots manquants ?

Un indice : ils ont tous les trois, quatre lettres.

Jonathan Swift
Écrivain satirique irlandais
Né à Dublin, le 30 novembre 1667
Décédé à Dublin, le 19 octobre 1745

Orphelin de père (il est élevé par ses tantes), il démarre dans la vie comme pasteur dans une bourgade (Kilroot) près de Belfast. Mais au bout de quelques mois, il revient en Angleterre pour se lancer en littérature.

On lui doit « Les voyages de Gulliver », mais aussi de nombreux pamphlets (d'un humour féroce) qui fustigent la bêtise de ses contemporains (la reine Anne, de l'époque, lui tiendra toujours rigueur de son virulent Conte du tonneau). Sur sa pierre tombale, on peut lire l'épitaphe qu'il avait lui-même écrite en latin :

« Ici repose la dépouille de Jonathan Swift, D.D., doyen de cette cathédrale, qui désormais n'aura plus le cœur déchiré par l'indignation farouche. Va ton chemin, voyageur, et imite si tu le peux l'homme qui défendit la liberté envers et contre tout. »

Une autre énigme de Voltaire

« Quelle est de toutes les choses du monde,
la plus longue et la plus courte,
la plus prompte et la plus lente,
la plus divisible et plus étendue,
la plus négligée et la plus regrettée,
sans qui rien ne peut se faire,
qui dévore tout ce qui est petit,
et qui vivifie tout ce qui est grand ? »

Toujours mathématique, parfois magique !

Allez, courage !

1	1	2	3
2	2	3	3
3	3	4	

Mots croisés, mot secret

Un autre de Robert Scipion, en douze lettres (deux mots) :

Héroïne pure

De quoi, ou de qui, s'agit-il à votre avis ?

World poker tour

Trois cartes sont retournées, face cachée, sur une table de poker.

À gauche d'un Roi, il y a une Reine ;
à gauche d'un pique, il y a un carreau ;
à gauche d'un coeur, il y a une Reine ;
à droite d'un As, il y a un pique.

Quelles sont les trois cartes ?

Intrus, mais pas indésirable

Quel est le chiffre en trop ?

43 — 31 — 59 — 33 — 61

Insensé, mais pas du tout égaré

Seize prisonniers sont enfermés dans seize cellules communicantes.

Le prisonnier dans la cellule X devient fou : il entreprend de tuer tous les prisonniers des autres cellules.

Sachant qu'il abandonne chaque fois sa victime, qu'il ne retourne jamais dans une cellule où se trouve un cadavre et qu'il ne casse jamais un mur extérieur ou de coin, quel est son itinéraire jusqu'au dernier prisonnier Y.

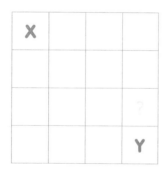

Méli-mélo

Pouvez-vous composer trois mots avec les lettres suivantes ?
Interdit : les adjectifs et les formes conjuguées des verbes !

A   É   O   P   R

Dans la littérature ou au cinéma…

Les anagrammes nourrissent souvent l'intrigue et l'action. Par exemple, dans _Harry Potter et la chambre des secrets_, Harry Potter a en main le journal intime de Tom Elvis Jedusor qui est l'anagramme de « Je Suis Voldemort » (Voldemort étant l'ennemi d'Harry, en anglais, de son vrai nom Tom Marvolo Riddle, pour donner « I am Lord Voldemort », « riddle » signifiant, par ailleurs charade, devinette, énigme, etc.). Et dans _Da Vinci Code_, la plupart des énigmes se résolvent à coups d'anagrammes.

Bouge de là !

Pouvez-vous former 5 carrés en ne déplaçant que 2 allumettes ?

À décoder sans cafouiller

Observez bien cette phrase. De quel autre auteur dramatique est-il question ?

« Rivalisant avec Corneille, il nous étonna. »

Devoir de mémoire

Frappé d'amnésie (vous avez été sauvagement matraqué par un CRS), vous ne vous souvenez pas des événements récents, mais votre mémoire du passé est intacte.

Vous connaissez votre date de naissance et celle de son fils, votre âge et le sien.

Pouvez-vous dire en quelle année vous vous trouvez ?

Intrus, mais pas indésirable

Écartez le bon chiffre.

64 — 27 — 8 — 15 — 1

Le siège de Troie

Hésiode demanda à Homère de combien de Grecs se composait l'armée d'expédition au siège de Troie ; Homère lui répondit : « Il y avait sept feux aux vives flammes, à chaque feu cinquante broches, et à ces broches cinquante rôtis. Autour de ces viandes se trouvaient trois fois trois cents Grecs. »

Combien de Grecs assiégeaient la ville de Troie ?

GROS PLAN

Homère
Poète épique grec
Né en – 800
Décédé en – 700

Homère est le premier poète grec dont les œuvres nous sont parvenues. On lui attribue la paternité de l'*Iliade* et de l'*Odyssée*, récits épiques en vers. On ne sait toujours pas si la Guerre de Troie a vraiment eu lieu, si Homère a vraiment existé, on est incertain quant à la paternité unique de l'œuvre. Mais on a rarement fait mieux depuis.

Les chats aux yeux verts jouent-ils avec les gorilles ?

Lewis Carroll est aussi l'auteur de cette petite énigme :

« Il n'y a pas de chat non dressé aimant le poisson ;
Il n'y a pas de chat sans queue jouant avec un gorille ;
Les chats avec moustache aiment toujours le poisson ;
Il n'y a pas de chat dressé aux yeux verts ;
Il n'y a pas de chat avec une queue, à moins d'avoir des moustaches.

Question : Les chats aux yeux verts jouent-ils avec les gorilles ? »

Toujours mathématique, parfois magique !

Complétez ce carré magique

7	12	?	14
2	13	8	11
16	3	10	5
9	6	15	4

PETITE REMARQUE

En Indes, aussi...

Ce carré magique est le plus ancien connu d'ordre 4 (16 cases). Il a été retrouvé sur un mur du temple de Khajuraho, en Inde. Il date du XIème siècle.

Mots croisés, mot secret

Professeur de français, concepteur de mots croisés, juge arbitre de « Le mot le plus long » puis « Des chiffres et des lettres »), Max Favalelli est aussi l'auteur de ce…

Prélude à une partie de billard en dix lettres.
De quoi s'agit-il ? Un indice : la 2ème lettre est un N.

À dénicher en marchant sur des œufs

Une fermière vend la moitié de ses œufs et la moitié d'un œuf à un premier client, puis de même à un deuxième et un troisième client.

À la fin, il lui reste trois œufs.

Combien avait-elle d'œufs au départ si elle n'en a cassé aucun ?

Intrus, mais pas indésirable

Encore un mot qui n'a rien à faire avec les autres. Lequel ?

AMATEUR — CHICANE — CORBEAU — MARTEAU — CANICHE

Petite partie de cache-cache

Observez cette suite…

Quel damier parmi les six proposés est le suivant ?

   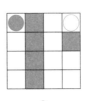

1   **2**   **3**   **4**   **5**   **6**

Méli-mélo

Là, c'est tout un proverbe qui est caché. Pouvez-vous le retrouver ?

Attention, les mots peuvent se lire dans les deux sens et dans trois directions : horizontalement, verticalement ou en diagonale.

O	W	X	K	X	A	P	K	R	O
H	I	H	I	A	G	E	I	W	J
P	F	Y	L	Q	U	N	R	R	J
O	W	Q	B	X	E	R	B	E	I
T	D	W	U	V	R	O	H	V	B
K	G	E	E	E	I	R	P	V	I
I	I	R	Q	X	R	B	L	A	N
M	P	E	R	Z	R	X	V	U	O
Y	A	H	L	K	V	U	D	T	D
U	I	K	B	X	U	V	O	X	P

En trois coups de cuillère à pot ? Pas vraiment !

Pouvez-vous diviser ce triangle en 16 autres triangles égaux en traçant seulement 6 segments de droite ?

À décoder sans cafouiller

Cinq lettres à trouver pour composer le bon mot.

Marie — **terne ; aimer** — ....

Mots croisés, mot secret

Voici une autre définition proposée par Michel Laclos. Un indice : la 2ème lettre est un H. À vous de jouer !

Courses à pied (8 lettres)

	H						

L'énigme de Boileau

« Du repos des humains, implacable ennemie.
J'ai rendu mille amants envieux de mon sort.
Je me repais de sang et je trouve la vie.
Dans les bras, de celui qui recherche ma mort. »

De quoi s'agit-il ?

GROS PLAN

Nicolas Boileau
Poète, écrivain et critique français
Né à Paris, le 01 novembre 1636
Décédé à Paris, le 13 mars 1711

Fils d'une famille bourgeoise de quinze enfants, Nicolas Boileau fait des études de théologie puis de droit et devient avocat (à son grand désespoir) en 1656 pour se nourrir. La mort de son père lui permet (à peine) de vivre de ses rentes et de se consacrer à la littérature.

Ami de Racine et de Molière, l'auteur des « Satires » et « Épîtres » (gros succès à l'époque) est nommé (en même temps que Racine), historiographe de Louis XI, en 1677. En 1684, il est élu à l'Académie française. Il laisse en mourant presque tous ses biens aux pauvres.

En voiture, Simone !

Un paysan revient du marché, accompagné de son loup apprivoisé, d'une chèvre (qui s'appelle Simone) et d'un cageot de choux qu'il vient d'acheter.

Pour retrouver sa fermette, il doit traverser une rivière, mais il a une toute petite barque qui ne lui permet pas d'embarquer tout le monde.

Il ne peut faire la traversée qu'avec le loup, la chèvre, ou le cageot.

Il doit donc faire plusieurs voyages, mais impossible de laisser la chèvre et le cageot sur une des rives, elle mangerait les choux ou le loup et la chèvre, il la dévorerait toute crue.

Comment vous y prendriez-vous pour faire traverser tout ce petit monde ?

LE SAVIEZ-VOUS ?

Le loup, la chèvre, et le chou

C'est une très vieille énigme qui date du Moyen-Âge. Elle est attribuée au mathématicien Alcuin (735-804). On la retrouve souvent sous des formes différentes : par exemple, le lion, le lama et la laitue, ou encore, le chien, les canetons et la salade...

Toujours mathématique, parfois magique !

Formez un carré magique (somme des nombres à la verticale, à l'horizontale et en diagonale égale) avec ces quatre chiffres : 5, 9, 11, 19, les cinq autres étant à votre choix (différents des quatre premiers).

Mots croisés, mot secret

Imitateur, humoriste, acteur, réalisateur, chanteur et animateur télé, Patrick Sébastien se fait aussi à l'occasion verbicruciste, on lui doit cette bonne définition en trois lettres…

Existe aussi en petites coupures
De quoi s'agit-il ?

Un calcul grisant

Tartaglia (mathématicien Italien, 1499-1557, voir page…) a aussi proposé le problème suivant :

Si 9 artisans boivent 12 bocs de vin en 8 jours, combien 24 artisans boiront-ils de bocs de vin en 30 jours ?

Intrus, mais pas indésirable.

Trois alexandrins attribués à Victor Hugo, l'un est de trop. Lequel ?

« *Tu l'as trop écrasé, César, ce Port-Salut !* »
« *Et la marine va, papa, venir à Malte.* »
« *Crois-tu donc que les rois à moi me sont sacrés ?* »

C'est nul !

Ce problème a été posé lors d'une épreuve de réflexion aux étudiants de l'Université de Stanford (Californie).Qu'est-ce que cela peut bien être :

1. C'est mieux que dieu.
2. C'est pire que le diable.
3. Les pauvres en ont.
4. Les riches en ont besoin.
5. Et si on en mange, on meurt.

De quoi s'agit-il ?

Croyez-le ou non, 70% des enfants du niveau primaire trouvent la solution à ce problème. Mais seulement 17% des étudiants de niveau universitaire ont réussi à la résoudre. Alors bonne chance !

Caché mais pas râpé !

Observez ce groupe de carte…

Et trouvez la valeur et la couleur de la carte retournée.

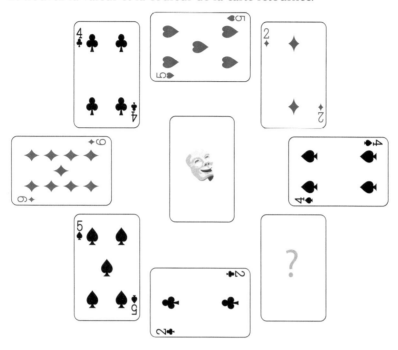

Bouge de là !

Pouvez-vous former 3 carrés en ne déplaçant que 4 allumettes ?

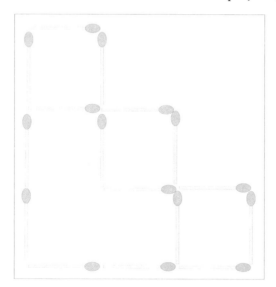

À décoder sans cafouiller

Là, pour trouver il vaut mieux voir grand, même très grand.

S	L	V	H	M	J	?

Charade gourmande (p.4)

Le bavarois au café (Bavard-Oie-Café).

Que quizez-vous à Victor Hugo ? (p.4)

1c. Fillon. En revanche, on trouve dans la famille de Victor, un Chirac et un de Lanoë. Pour l'auteur de Paris, la coïncidence est pour le moins heureuse.

2a. Hector Berlioz. En fait, à cause d'une cabale qui couvrait, à force de cris et de sifflement, la voix des chanteurs.

3c. George Sand. De son vivant, Victor s'était taillé une très solide réputation de satyre.

4a. Œufs, pâtés, poissons… Victor avait en effet la manie de faire une bouillie dans son assiette de tout ce qui était présenté à table.

5a. La pieuvre de *Vingt Mille Lieux sous les mers*, parue en 1870, quatre ans après *Les Travailleurs de la mer*, est un « emprunt » direct (et très opportuniste) à Hugo.

Toujours mathématique, parfois magique ! (p.5)

1	6	5
8	4	0
3	2	7

4. Dans ce carré magique, le total des rangées, des colonnes et des diagonales est toujours égale à 12.

Mots croisés, mot secret (p.5)

Cinéma

Un couple peu présidentiel (p.5)

Nicolas et Carla sont des poissons rouges.

Intrus, mais pas indésirable (p.5)

KAPOK, le seul qui n'est pas un palindrome (mot qui se lit de gauche à droite ou de droite à gauche en conservant le même sens).

Éclipse de lune (p.5)

Figure 1. Le carré se déplace de gauche à droite en zig-zag sur les deux rangées centrales ; le cercle sur la diagonale, il est deux fois caché par le carré.

Méli-mélo (p.6)

Par exemple : étreinte, éternité, reinette, entérite.

Bouge de là ! (p.6)

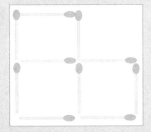

À décoder sans cafouiller (p.6)

V et S. Les lettres correspondent aux initiales des chiffres romains et vice versa : Cinq = V et VII = Sept.

Les derniers seront les premiers ! (p.6)

Ils ont chacun emprunté le cheval de l'autre.

Qui se ressemble s'assemble ? (p.7)

Elle est composée avec deux anagramme : exorciste/coexister, hypocrite/chypriote.

Toujours mathématique, parfois magique ! (p.7)

2 et 8. C'est un carré magique où la somme des chiffres sur les horizontales, les verticales et les diagonales est égale à 15.

Mots croisés, mot secret (p.7)

Idée.

Méli-mélo (p.7)

Six « F » dans le texte.

Intrus, mais pas indésirable (p.7)

ANDACA/CANADA, tous les autres sont des arbres : ACACIA, BAOBAB, ÉRABLE.

Petite chinoiserie administrative (p.8)

Il y a 13 voleurs et 83 rouleaux. Voici une façon de résoudre le problème.
Soit x le nombre de voleurs et y étant le nombre de rouleaux, on peut écrire les deux équations suivantes :
6x + 5 = y et 7x - 8 = y. D'où, 6x + 5 = 7x - 8. Alors, x = 13 et y = 83.

Intrus, mais pas indésirable (p.8)

22, le seul qui ne soit pas un multiple de 7.

Facile pour les esprits carrés ! (p.8)

Quatre de Carreau. Deux couleurs dans chaque groupe de carte : carreau et pique, et les valeurs progressent de 2 :
(3 + 1 =) 4 + 2 = 6 (4 + 2) + 2 + 8 (7 + 1) + 2 + 10 (4 + 6).

Méli-mélo (p.9)

Éros et Oser.

Sans lever le crayon ! (p.9)

Rimbaldiennes (p.9)

y. C'est la suite des voyelles.

À décoder sans cafouiller (p.9)

Par exemple, le mot « caner » qui est formé avec les mêmes lettres que les précédents (anagrammes).

Temps de paroles (p.10)

Dans l'ordre : Robert Sheckley, Tchouang-Tseu et Serge Gainsbourg.

La banquière philosophe (p.10)

La phrase a. En effet, n'importe quelle employée de banque féministe est aussi une employée de banque. En revanche, elle peut être employée de banque sans être féministe.

Toujours mathématique, parfois magique ! (p.10)

3	20	16
26	13	0
10	6	23

Dans ce carré magique, le total des rangées, des colonnes et des diagonales est toujours égale à 39.

Mots croisés, mot secret (p.11)

Stationnement

Faces cachées (p.11)

Il faut en retourner trois : la carte marquée B pour vérifier si un D est inscrit derrière et les deux cartes marquées A et C car si une de ces cartes a un B sur sa seconde face, la proposition est fausse.

Intrus, mais pas indésirable (p.11)

Le carré, le seul qui comporte des angles droits.

Qui peut gagner des millions ? (p.11)

La séquence d'ouverture : C, B, A, D. La clé E ouvre B ou C. Si elle ouvre B, la clé qui ouvre A ne peut être dans A, donc A contiendrait le trésor et C la clé pour A. Si elle ouvre C, le trésor est dans B ou D, donc le trésor n'est pas dans C et l'étiquette C serait exacte, ce qui est impossible. Comme la clé dans C ouvre B, la clé E doit ouvrir C. Donc le trésor est dans B ou D. Conséquence : l'inscription A est vraie. Donc le trésor est dans D. E ouvre C. Dans C, il y a une clé qui ouvre B. Dans B, une clé qui ouvre A. Dans A, la clé qui ouvre le coffre D contenant le trésor.

Pas de quoi avoir le tournis ! (p.12)

Figure 1. Le trait de gauche pivote chaque fois de 90° dans le sens des aiguilles d'une montre ; le trait de droite, de 45°, mais en sens contraire.

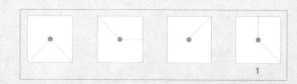

Méli-mélo (p.12)

Un chien (chien/niche) et Chine.

Bouge de là ! (p.12)

À décoder sans cafouiller (p.13)

Ici, pas besoin d'être un spécialiste du décryptage pour trouver !

111   1111   1   11 ; C   M   U   O

O. Les lettres sont les initiales des chiffres écrits en toutes lettres.

Pas de quoi pinailler ! (p.13)

Bête.

Larmes de crocodile (p.13)

Oui et non. Si le crocodile ne dévore pas le bébé, la mère s'est trompée et le crocodile doit dévorer le bébé : logiquement, ce n'est pas jouable.

Mais Lewis Carroll a proposé une solution pragmatique : si le crocodile dévore le bébé, la mère a dit vrai et le crocodile manque à sa parole. S'il rend le bébé, la mère s'est trompée et le crocodile manque à sa parole. De toute manière, le crocodile manquera à sa parole.

Toujours mathématique, parfois magique ! (p.14)

5	5	5	5
7	5	3	5
5	3	5	**7**

7. Sur chaque ligne, le chiffre de droite s'obtient en retranchant le second du premier et en ajoutant le troisième : 5 – 5 = 0 + 5 = 5 ; 7 – 5 = 2 + 3 = 5 et 5 – 3 = 2 + 5 = 7.

Mots croisés, mot secret (p.14)

Vieille dame qui a toujours ses règles : grammaire

Intrus, mais pas indésirable (p.14)

Manioc. Les autres sont des anagrammes : action et aconit, ménage et manège.

Petite promenade dominicale (p.14)

2/1. Du premier domino aux suivants, les valeurs progressent en alternant haut et bas de chaque domino et en sautant un chiffre à chaque fois : 1, (2), 3, (4), 5, (6), 0, (1)… 2 et 0, (1), 2, (3), 4, (5), 6.

Pair, impair ou… passe (p.14)

Il faut demander à la personne de multiplier le nombre de la main droite par un nombre pair, par exemple 2, celui de la main gauche, par un nombre impair, par exemple 3 et de vous donner le total des deux sommes. S'il est impair, alors le nombre pair de pièces est dans la main droite ; pair, il est dans la main gauche.

Méli-mélo (p.15)

Il fallait trouver le mot Anagramme.

Partie carrée (p.15)

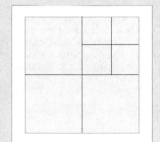

À décoder sans cafouiller (p.15)

AMBRE. Les chiffres qui suivent les lettres indiquent la place de chaque lettre dans le mot qui suit.

Un casse-tête tiré par les chevaux ! (p.15)

Le chef du village prête un cheval aux fils. Ils ont donc 18 chevaux. L'aîné en prend la moitié (9), le cadet en prend le tiers (6) et le benjamin le neuvième (2).
Ils se sont donc partagés : 9 + 6 + 2 = 17 chevaux. Il reste un cheval que le chef reprend.
On peut constater que 1/2 + 1/3 + 1/9 = 17/18.

Pour neurones biens accrochés (p.16)

Dix sous-programmes sont nécessaires pour satisfaire aux conditions posées. 10, c'est le nombre de combinaisons qu'on peut former à partir de 5 éléments (par exemple, avec a, b, c, d et e : abc, abd, abe, acd, ace, ade, bcd, bce, bde, cde). Chaque sous-programme étant affecté à un groupe de 3 ingénieurs, deux ingénieurs d'un sous-programme ne pourront donc jamais accéder aux sous-programmes des 3 autres. Mais chaque ingénieur pourra, en revanche, accéder à tous les sous-programmes pour pallier une absence.

Mélancolique, mais pas triste ! (p.16)

16	3	2	13
5	10	11	8
9	6	7	**12**
4	15	14	1

12. C'est un carré magique où la somme des chiffres en rangées, colonnes, diagonales, donne toujours 34. Ainsi d'ailleurs que la somme des quatre chiffres figurant dans les quatre cases centrales ou encore dans les quatre cases d'angle ou d'autres combinaisons de quatre carrés.

Méli-mélo (p.16)

Marie, aimer et maire.

Mots croisés, mot secret (p.17)

Étrangleur

Plantations de tulipes (p.17)

Vous avez reçu 58 bulbes de tulipes.

Intrus, mais pas indésirable (p. 17)

37, le seul nombre premier.

| 37 | 28 | 39 | 27 | 38 |

Petit problème de raisonnement conditionnel (p.17)

Il faut retourner l'enveloppe fermée et l'enveloppe avec le timbre de 1 euro. 98 % de réussite habituellement (Johnson-Laird, Legrenzi et Legrenzi, 1971).

Méli-mélo (p. 17)

Par exemple, créature, écarteur, réacteur.

Bouge de là ! (p.18)

À décoder sans cafouiller (p.18)

S et D. Les jours de la semaine.

L   M   M   J   V   S   D

Au menu : civet de lapin ! (p.18)

La transformation, proposée par Lewis Carroll, se fait de la manière suivante :
LAPIN   LAPIS   LAVIS   RAVIS   RAVES   RIVES   RIVET   CIVET.

Les œufs d'Euler (p.18)

La première paysanne avait 40 œufs ; la seconde, 60. Soit x, la somme d'argent perçue par la première paysanne et y, celle reçue par la seconde : x + y = 15 et x + y = 6.2/3 ou 20/3. D'où 20x = 45 et x = 45/20 = 4/9. Comme chaque somme d'argent est le produit du nombre d'œufs et du prix payé par œuf, le rapport du nombre d'œufs est donc de 2 à 3.

Usual suspects (p.19)

Le coupable est Théo.

Toujours mathématique, parfois magique ! (p.19)

8	7	15
17	10	3
5	13	12

C'est un carré magique où la somme est toujours égale à 30.

Mots croisés, mot secret (p.19)

10. Référence à « Voyelles », le célèbre poème de Rimbaud : « A noir, E blanc, I rouge, U vert, O bleu : voyelles, Je dirai quelque jour vos naissances latentes… »

Case départ (p.19)

1. I est considéré linguistiquement comme une semi-consonne dans des mots comme « fiole » ou « adieu ». On appelle ce son i-consonne, ou yod).)

Quatre-quart (p.19)

Il suffit de découper le cake dans les 3 dimensions : une coupe dans le sens de la longueur (2 moitiés), puis en largeur (4 parts), et enfin une dans le sens l'horizontal (8 parts).

Intrus, mais pas indésirable (p.20)

CASPOIS/PICASSO, le seul peintre, les autres sont des écrivains : HOMÈRE, MOLIÈRE, PROUST.

Ici, il ne faut pas se laisser damer le pion ! (p.20)

Figure 2. Le carré se déplace en zig zag de gauche à droite sur les deux rangées centrales ; le cercle sur l'horizontale (à l'arrivée, il est masqué par le carré).

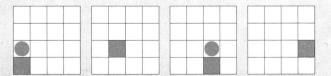

Méli-mélo (p.20)

BALZAC (ZABLAC), MUSSET (MESTUS) et NERVAL (VERNAL).

Sans lever le crayon (p.20)

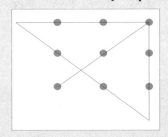

À décoder sans cafouiller (p.21)

« À condition de se poster aux bons endroits, le touriste est plus facile à exterminer que la vipère. » Jonathan Swift

Il suffit de remplacer chaque lettre par la précédente dans l'alphabet.

Papous pas papas à poux ou papas pas papous à poux ? (p.21)

Il y a 8 000 « papous pas papas à poux » et 16 000 « papas pas papous à poux ».

On sait qu'il y a 240 000/10, soit 24 000 habitants de la Papouasie qui ont des poux. Ils se répartissent en 1/3, 2/3. Donc 16 000 « pas papous » et « 8 000 papous ».

Quand on analyse les sous-groupes possibles, on voit qu'il y a trois oppositions, soit 8 groupes possibles (2 x 2 x 2).

Intrus, mais pas indésirable. (p.21)

BOULE, le seul qui ne forme pas de mot composé avec « avant » : avant-bras, avant-centre, avant-dernier, avant-hier.

Ici, il y a de quoi s'emmêler les dominos ! (p.21)

6/0. Deux progressions (en alternant moitiés gauches et moitiés droites), l'une croissante qui saute chaque fois une valeur : 1 (2) 3 (4) 5 (6) 0 (1) 2 (3) 4 (5)… 6 ; l'autre, décroissante qui saute chaque fois un nombre décroissant de valeurs : 0 (6,5,4,3, 2) 1 (0, 6, 5, 4) 3 (2,1,0) 6 (5, 4) 3 (2) 1… 0.

Opération escargot (p.22)

L'escargot sort du puits le soir du 8ème jour. En 24 heures, il grimpe d'un mètre (il monte de 3 mètres et il descend de 2 mètres), ce qui fait qu'à l'aube du 7ème jour, il a parcouru 7 mètres, reste 3 mètres qu'il franchit dans la journée.

Toujours mathématique, parfois magique ! (p.22)

6	3	3	9
8	4	3	12
9	1	1	8

9. Sur chaque ligne, on obtient le chiffre de gauche, en divisant le chiffre de droite par le précédent et en ajoutant le suivant :
$9/3 = 3 + 3 = 6 : 12/3 = 4 + 4 = 8$ et $8/1 = 8 + 1 = 9$.

Mots croisés, mot secret (p.22)

Io.

À la bonne heure ! (p.22)

Il est 14h30.

Intrus, mais pas indésirable (p.22)

Épicéa, le seul conifère de la liste ; les autres, sont des feuillus.

Assez astucieux, assurément ! (p.23)

As de Pique. Dans chaque groupe de cartes (de même couleur), on retrouve la même égalité : $8 - 7 = 1$, $4 - 3 = 1$ et $6 - 5 = 1$.

Méli-mélo (p.23)

Vérité, riveté, vitrée…

Bouge de là ! (p.24)

À décoder sans cafouiller (p.24)

V	VII	IX	XIII	XIX
2	4	3	5	5

Les chiffres (arabes) correspondent au nombre de barres qui forment les chiffres romains.

Ubuesque, forcément ! (p.24)

« L'amour est un acte sans importance, puisqu'on peut le faire indéfiniment.»

Bling-bling (p.25)

Carla met trois pierres au hasard dans un des plateaux de la balance, trois autres dans l'autre.

Si les plateaux sont en équilibre, la pierre fausse fait partie des trois pierres restantes : il lui suffit de recommencer l'opération. En revanche, si un plateau est plus lourd que l'autre, c'est que la pierre fausse s'y trouve : Carla recommence l'opération avec deux des pierres prises dans ce plateau-là.

Toujours mathématique, parfois magique ! (p.25)

1	9	2
3	8	4
5	**7**	6

7. Le nombre de la ligne 2 est le double de la ligne 1, celui de la ligne 3, le triple de la ligne 1.

Mots croisés, mot secret (p.25)

Camisole

À bicyclette… (p.25)

2560. Si chaque famille qui a trois bicyclettes en donne une à chaque famille qui n'en a qu'une, alors chaque famille a deux bicyclettes (1280 x 2 = 2560).

Intrus, mais pas indésirable (p.25)

Baudelaire. Les deux autres sont constitué de vers entièrement holorimes ; c'est-à-dire que la rime est constituée par la totalité du vers, et non pas seulement par une ou plusieurs syllabes identiques à la fin des vers comme dans la rime « classique ».

Tournicotis, tournicotons ! (p.26)

Figure 2. Le trait horizontal pivote chaque fois de 180° dans le sens des aiguilles d'une montre ; le trait oblique de 45°.

Méli-mélo (p.26)

Par exemple, Paumes et Psaume.

Division hexagonale (p.26)

À décoder sans cafouiller (p.26)

C. Liste des conjonctions : Mais Ou Et Donc Or Ni Car

M   O   E   D   O   N   C

Très Œdipe, peu complexe ! (p.27)

L'homme, évidemment. Bébé, il marche à 4 pattes ; adulte, il se déplace sur ses deux jambes ; vieux, il s'aide d'une canne.

Un petit problème de gestion de risque (p.27)

Le bon tire en l'air. En effet, supposons qu'il tire sur le truand et le tue (1 chance sur 3), alors c'est à la brute de tirer et le bon est mort. En revanche, s'il rate son coup, alors c'est au truand de tirer. Si le truand tire sur le bon, et qu'il le tue (1 chance sur deux), c'est à la brute de tirer et le truand meurt. Donc le truand tire forcément sur la brute. S'il rate son coup, la brute le tue d'abord car le risque est moindre avec le bon. À ce moment-là, c'est à nouveau au bon de tirer et il a une chance sur trois de réussir. Le bon pourrait aussi tirer sur la brute, mais s'il le tue, alors il a une chance de se faire tuer par le truand. Donc dans tous les cas, il vaut mieux qu'il tire en l'air.

Toujours mathématique, parfois magique ! (p.27)

21	26	19
20	**22**	24
25	18	23

22. C'est un carré magique où la somme des chiffres sur les horizontales, les verticales et les diagonales est égale à 66.

Mots croisés, mot secret (p.28)

Notaire.

Enfer ou Paradis ? Simple question de bon sens (p.28)

La question à poser : « Quelle est la porte que m'indiquerait l'autre garde comme étant celle du Paradis ? » et vous prenez l'autre porte. Mais vous pouviez aussi demander : « Est-ce que celui qui dit la vérité se trouve devant la porte du Paradis ? » et si la réponse est « oui », prendre la porte du gardien à qui vous avez posé la question et si c'est « non » prendre l'autre porte. Démonstration : appelons les gardiens A et B, la porte du Paradis 1 ; celle de l'Enfer, 2. Et prenons les deux hypothèses :

A dit la vérité, B ment => réponse à la question : Porte 2.

A ment, B dit la vérité => réponse à la question: Porte 2.

On voit que la réponse à cette question est toujours la même : la porte 2 ouvre sur les enfers.

Intrus, mais pas indésirable (p.28)

Jivaros, des indiens d'Amérique du Sud ; tous les autres sont des indiens du Nord.

Saute-mouton, mais en un peu plus compliqué ! (p.28)

3/4. Du premier domino aux suivants, les valeurs de chaque moitié de domino progressent en sautant deux chiffre à chaque fois : 6, (0,1), 2, (3, 4), 5, (6, 0), 1, (2, 3), 4, 5,6), 0, 1, 2)... 3 et 0, (1,2), 3, (4,5), 6, (0, 1), 2, (3,4), 5, (6,0), 1, (2,3)... 4.

Méli-mélo (p.29)

Trois mots possibles :
Rame, Mare, Arme.

Bouge de là ! (p.29)

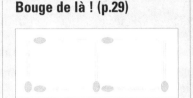

À décoder sans cafouiller (p.29)

À bon chat, bon rat. Les chiffres correspondent à la position des lettres dans l'alphabet :
A=1, B=2, C=3, etc.

1 2 15 14 3 8 1 20

Méli-mélo (p.29)

Trois mots. Entité, Teinte et Tétine.

Une énigme de Voltaire (p.30)

L'oiseau.

Silence, les agneaux ! (p.30)

Vous mangez un des deux papiers et vous dites que si l'autre est marqué « Dîner », c'est que vous avez donc choisi le papier « Liberté ».

Toujours mathématique, parfois magique ! (p.30)

16	5	12
7	11	15
10	17	6

Mots croisés, mot secret (p.31)

Orange

Lost (p.31)

À la tombée du soleil vous devez allumer l'une des mèches par les deux bouts : par un seul bout d'un seul bout. Quand la première mèche est entièrement consumée, trente minutes plus tard, vous allumez l'autre bout de la deuxième mèche qui finit de se consumer en 15 minutes (puisqu'elle est déjà consumée à moitié). Vous obtenez ainsi vos 45 minutes.

Intrus, mais pas indésirable (p.31)

SAMEDI, le seul à avoir autant de consonnes que de voyelles.

Pas de quoi griller ses neurones ! (p.31)

Méli-mélo (p.31)

Zoophobie.

Séparation de corps (p.32)

À décoder sans cafouiller (p.32)

CURE, TRUC ; CRUE, TURC. C'est l'anagramme de TRUC comme CRUE l'est de CURE ; la première anagramme donne l'ordre de déplacement des lettres.

Du rififi chez les bavards ! (p.32)

C'est Euathlus qui à tort :

« Si je gagne, je n'ai pas à te payer, d'après le jugement du tribunal », mais il devra payer d'après la convention.

« Si tu gagnes, je n'ai pas à te payer d'après notre convention », mais il devra payer selon la sentence du tribunal.

Dans les deux cas, il devra donc payer.

Bling-bling ! (p.33)

En final, il restera sur la table un, deux, trois, cinq, six ou sept jetons. Chacun de ces restes correspond à une seule des six combinaisons possibles des trois bijoux. Le tableau suivant donne la répartition des bijoux pour chaque reste :

Restes	1	2	3	4	5	6
A	anneau	épingle	anneau	épingle	montre	montre
B	épingle	anneau	montre	montre	anneau	épingle
C	montre	montre	épingle	anneau	épingle	anneau

Toujours mathématique, parfois magique ! (p.33)

5	5	3	1
3	7	1	9
4	6	2	6

6. Sur chaque ligne, on obtient le chiffre de gauche en additionnant les deux premiers chiffres et en retranchant le carré du troisième :
5 + 5 = 10 – 32 = 1, 3 + 7 = 10 – 12 = 9 et 4 + 6 = 10 - 22 = 6.

Mots croisés, mot secret (p.33)

L'Internationale.

Famille nombreuse (p.33)

L'année, les mois, les jours et les nuits.

Intrus, mais pas indésirable (p.33)

63, le seul à ne pas être un carré. 36   64   16   49   63

Pas vu, pas pris ! (p.34)

Figure 4. Le carré se déplace chaque fois d'une case sur la diagonale, le cercle noir sur la verticale, le blanc, sur l'horizontale (ils sont tous les cachés par le carré noir dans le troisième damier).

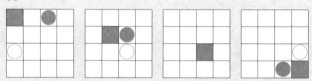

Méli-mélo (p.34)

Trois mots : Granit, Gratin et Ingrat.

Bouge de là ! (p.34)

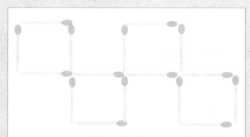

À décoder sans cafouiller (p.34)

J(uillet). La suite des mois.

J   F   M   A   M   J   J

Ici, la raison doit l'emporter ! (p.35)

Le mot « Passion ».

Un petit casse-tête chinois (un vrai supplice !) (p.35)

71,5 la masse d'une pièce d'or ; 58,5, celle d'une pièce d'argent. Soit x les pièces d'or ; y, les pièces d'argent, on peut écrire 9 x = 11 y.

Quand on échange une pièce de chaque tas : 8 x + y = 10 y + x – 13 et 11 y = 10 y + x – 13 ou 11y – 10y = x – 13, soit y = x – 13. Donc 9x = 11 (x - 13) = 11x – 143 et 11x – 9x = 143, soit 2x = 143 et x = 71,5. D'où y = 71,5 – 13 = 58,5.

Toujours mathématique, parfois magique ! (p.35)

2	7	17	29
3	11	19	31
5	13	23	33

2 et 33, la suite des nombres premiers.

Mots croisés, mot secret (p.36)

Maternité.

Un problème en or (p.36)

Le silence.

Intrus, mais pas indésirable (p.36)

NUITS/TUNIS, la seule ville de la liste, PARIS, BERLIN, DUBLIN, qui n'est pas une capitale européenne.

À vous la donne ! (p.36)

Sept de cœur. Les quatre couleurs sont présentes sur chaque ligne dans un ordre différent. La progression des valeurs sur la première ligne est de l'ordre : - 2, + 3, – 5 ; elle est doublement inversée sur la deuxième ligne : + 2, – 3, + 5.

Méli-mélo (p.36)

Érudite, Étudier, Réduite, Tiédeur.

Mystère et boule de gomme (p.37)

Voici trois solutions possibles.

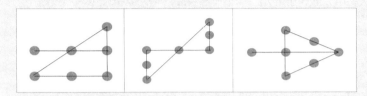

À décoder sans cafouiller (p.37)

ON PEUT RIRE DE TOUT MAIS PAS AVEC TOUT LE MONDE (Desproges)

Il suffit de lire à l'envers, en partant de la fin.

Une devinette pas piquée des vers ! (p.37)

1502 pages (500*3+2). De la première page du premier livre à la dernière page du dernier livre, c'est en fait entre les volumes 2 et 5, soit trois volumes.

Quelle galère ! (p.38)

Si l'on appelle les Chrétiens C et les Turcs T, il suffit de les placer dans l'ordre suivant :

CCCCTTTTTCCTCCCTCTTCCTTTCTTCCT

Toujours mathématique, parfois magique ! (p.38)

212	121	333
343	222	**101**
111	323	232

101. C'est un carré magique où la somme des chiffres sur les horizontales, les verticales et les diagonales est égale à 66 (le fameux chiffre de la Bête pour les Satanistes).

Mots croisés, mot secret (p.38)

Piano

Un être très discret (p.38)

Le secret

Intrus, mais pas indésirable (p.38)

Maire. Les autres forment des anagrammes : cruel et recul, orgue et rouge.

Ca ne tourne pas rond ? (p.39)

Figure 2. Le trait vertical pivote chaque fois de 45° dans le sens des aiguilles d'une montre ; le trait oblique également, mais en sens contraire.

Méli-mélo (p.39)

Allemagne. Les « ovaliens » : l'Argentine et l'Australie.

Bouge de là ! (p.39)

À décoder sans cafouiller (p.39)

MALE. Entre parenthèses, les deux premières lettres des mots sont les deux dernières, inversées, des mots à gauche ; et les deux dernières, les deux premières, inversées, des mots à droite.

Intrus, mais pas indésirable (p.39)

LAITIE/ITALIE, le seul pays de la liste, JAPON, CHINE, CORÉE, qui n'est pas asiatique.

À décoder sans cafouiller (p.40)

13112221. Il suffit d'écrire ce que l'on lit :
1 = un 1 (11) — 11 = deux (21), 21 = un 2, un 1 (1211) — 1211 = un 1, un 2, deux 1 (111221) — 111221 = trois 1, deux 2, un 1 (312211) — 312211 = un 3, un 1, deux 2, deux 1 (13112221).

Élémentaire, mon cher Watson ! (p.40)

L'ours est blanc évidemment parce que si la chambre ne donne qu'au Sud, c'est qu'elle est située au Pôle.

Une journée en enfer (p.40)

Plusieurs solutions sont possibles, par exemple : vous remplissez le bidon de 5 litres, et vous le videz dans celui de 3 litres. Il vous reste alors 2 litres. Vous videz le bidon de 3 litres et vous y transvasez les 2 litres restant. Vous remplissez à nouveau le bidon de 5 litres et vous le videz dans le bidon de 3 litres. Comme il contient déjà 2 litres, vous ne pouvez y verser qu'un litre, ce qui vous laisse avec 4 litres dans le premier bidon.

Toujours mathématique, parfois magique ! (p.40)

6	17	10
15	11	7
12	5	16

Mots croisés, mot secret (p.41)

L'entracte, au théâtre.

Parlez-vous SMS ? (p.41)

Si six scies scient six cyprès, six cent six scies scient six cent six cyprès.
Si 6 scies scient 6 cyprès, 606 scies scient 606 cyprès.

Autre interprétation possible :
Six Sissi scient six cyprès, si cent six Sissi scient cent six cyprès.
6 Sissi scient 6 cyprès, si 106 Sissi scient 106 cyprès.

Intrus, mais pas indésirable (p.41)

PÉLICAN, un palmipède, tous les autres sont échassiers.

Moins compliqué qu'il n'y paraît ! (p.41)

3/4. Les valeurs progressent de la façon suivante : 6 en haut, 0 en bas, 1 en bas, 2 en haut et… 3 en haut ; 0 en bas (+3=) 3 en haut (-1=) 2 en haut (+3=) 5 en bas (-1=)… 4 en bas.

Méli-mélo (p.41)

L'anagramme de soigneur : Guérison.

Sans lever le crayon (p.42)

L'une des manières…

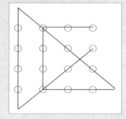

À décoder sans cafouiller (p.42)

P(aresse). Liste des sept péchés capitaux : Avarice, Colère, Envie, Gourmandise, Luxure, Orgueil, Paresse.

Une devinette aux petits oignons ! (p.42)

Cuit, four et sucé.

Une autre énigme de Voltaire (p.43)

Le temps.

Toujours mathématique, parfois magique ! (p.43)

1	1	2	3
2	2	3	3
3	3	4	8

8. Sur chaque ligne, le chiffre de droite s'obtient en ajoutant le carré du deuxième chiffre au premier et en retranchant de la somme le troisième :
$1 + 1^2 = 2 - 2 = 0$; $2 + 2^2 = 6 - 3 = 3$ et $3 + 3^2 = 12 - 4 = 8$.

Mots croisés, mot secret (p.43)

Blanche Neige (héroïne pure)

World Poker Tour (p.44)

As de carreau, Dame de pique, Roi de cœur.

Intrus, mais pas indésirable (p.44)

33, le seul à ne pas être un nombre premier. 43 31 59 33 61

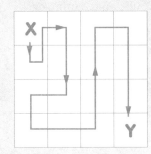

Insensé, mais pas du tout égaré (p.44)

Voici le trajet qu'il doit emprunter. Il ne faut pas oublier qu'il a la possibilité de repasser par sa cellule puisque bien évidemment elle ne contient pas de cadavre.

Méli-mélo (p.44)

Opéra, Paréo et Apéro.

Bouge de là ! (p.45)

À décoder sans cafouiller (p.45)

Racine. Le code est donné par les initiales de chaque mot : « (R)ivalisant (A)vec (C)orneille, (I)l (N)ous (E)tonna. »

Devoir de mémoire (p.45)

Oui. Quand on additionne les années de naissance d'un père et de son fils à leurs âges, le total est deux fois celui de l'année en cours.

Intrus, mais pas indésirable (p.45)

15. Tous les autres sont des cubes.
64 27 8 15 1

Le siège de Troie (p. 46)

Il y avait 315 000 Grecs devant Troie :
3 x 300 = 900 x 50 = 45 000 x 7 = 315 000.

Les chats aux yeux verts jouent-ils avec les gorilles ? (p.46)

Non. Les chats aux yeux verts sont non dressés (4) ; les chats non dressés n'aiment pas le poisson (1) ; les chats qui n'aiment pas le poisson n'ont pas de moustache (3) ; les chats sans moustaches n'ont pas de queue (5) et les chats sans queue ne jouent pas avec les gorilles (2).

Toujours mathématique, parfois magique ! (p.46)

7	12	1	14
2	13	8	11
16	3	10	5
9	6	15	4

1. La somme des chiffres sur toutes les rangées, colonnes, diagonales est égale à 34. En plus, la plupart des carrés de 4 cases forment aussi la somme magique :
(7 + 12 + 2 + 13) =
(2 + 13 + 16 + 3) =
(7 + 14 + 9 + 4), etc. = 34.

Mots croisés, mot secret (p.47)

Anesthésie

À dénicher en marchant sur des œufs (p.47)

31 œufs. La solution peut être trouvée en partant de la fin de l'énoncé. S'il reste trois œufs, la fermière en avait : 3 x 2 + 1 = 7 avant d'en vendre au troisième client. Elle en avait : 7x 2 + 1 = 15 avant le deuxième client et 15 x 2 + 1 = 31 initialement.

Intrus, mais pas indésirable (p.47)

Le mot Corbeau, les autres sont deux à deux des anagrammes : CHICANE et CANICHE, AMATEUR et MARTEAU.

Petite parie de cache-cache (p.47)

Figure 2. Le carré se déplace en zig zag sur les deux rangées du haut, le cercle noir également, mais dans l'autre sens ; le cercle blanc se déplace sur la diagonale, mais il est chaque fois masqué.

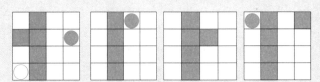

Méli-mélo (p.48)

MIEUX VAUT PRÉVENIR QUE GUÉRIR.

```
O W X K X A P K R O
H I H I A G E I W J
P F Y L Q U N R R J
O W Q B X E R B E I
T D W U V R O H V B
K G E E E I R P V I
I I R Q X R B L A N
M P E R Z R X V U O
Y A H L K V U D T D
U I K B X U V O X P
```

En trois coups de cuillère à pot ? Pas vraiment ! (p.48)

À décoder sans cafouiller (p.48)

Enter : une anagramme de terne comme « aimer » l'est de « Marie ». La première anagramme (Marie/aimer) donne l'ordre de déplacement des lettres pour obtenir « enter » (sinon autres anagrammes possibles, par exemple : rente).

Mots croisés, mot secret (p.48)

Courses à pied : shopping.

L'énigme de Boileau (p.49)

Il s'agissait d'une puce.

En voiture, Simone ! (p.49)

Il faut faire traverser la chèvre, revenir et emporter le loup. Puis déposer le loup, ramener avec soi la chèvre et faire traverser le cageot de choux. Enfin, revenir et chercher la chèvre...

Toujours mathématique, parfois magique ! (p.50)

9	19	5
7	11	15
17	3	13

Par exemple...

Mots croisés, mot secret (p.50)

Existe aussi en petites coupures : Pub.

Un calcul grisant (p.50)

120 bocs. Un artisan boit 12/9 ou 4/3 bocs en 8 jours, soit (4/3 x 30 jours)/8 = 5 bocs ; soit pour 24 artisans : 5 x 24 = 120.

Intrus, mais pas indésirable (p.50)

Le 3ème. Les deux premiers sont des palindromes, ils gardent le même sens quand on les lit de gauche à droite ou de droite à gauche.

C'est nul ! (p.50)

Rien.

Caché mais pas râpé ! (p.51)

Neuf de cœur. La somme des valeurs des cartes en vis-à-vis est deux fois égale à 7 (5 + 2, 2 + 5), deux fois à 13 (4 + 9, 9 + 4). Les couleurs sont associées deux à deux : Pique et Carreau, Trèfle et Cœur.

Bouge de là ! (p.51)

À décoder sans cafouiller (p.51)

S. Saturne. Le système solaire : Soleil, Lune, Vénus, Mars, Mercure, Jupiter.